CAMPIAITH 1

Llyfr canllawiau iaith
i blant 7–9 oed

CAMPIAITH 1

Llyfr canllawiau iaith
i blant 7–9 oed

Meinir Pierce Jones

GWASG TAF

Argraffiad Cyntaf: Hydref 1996

Rhif Llyfr Safonol Rhyngwladol: 0 948469 51 X

Arlunwaith: Anthony Evans
Dylunio: Smala, Caernarfon
Argraffu: Grafiche AZ, Yr Eidal
Cyhoeddir gan Wasg Taf, Bodedern, Sir Fôn LL65 3TL

Cyflwynaf y cyfrolau hyn
i blant y teulu
- er cof am John

Diolchir i'r gweisg a ganlyn am eu caniatâd i gynnwys y gweithiau isod:

'Y Bwgan yn y Llwyn Rhododendron', Irma Chilton, allan o *Heno, Heno,* Gwasg Gomer, 1990;
'Pwy sy'n Gallu Taro', 'Traeth y Pigyn', T. Llew Jones, allan o *Penillion y Plant,* Gwasg Gomer, 1990;
'Chwilio Cartref', T. Llew Jones, allan o *Llyfrau Darllen Newydd,* Gwasg Gomer, arg. newydd, 1994;
'Y Gath Ddu', Tony Llywelyn, allan o *Mul Bach ar Gefn ei Geffyl,* Llyfrau Lloerig, Gwasg Carreg Gwalch, 1995;
Cartŵnau Wili John, Nest James, allan o *Mynd,* Urdd Gobaith Cymru, 1982-3;
'Gwenynen' allan o *Cylchoedd,* John Hywyn, D. Brown a'i Feibion, Y Bontfaen, 1980;
Rhigymau a hwiangerddi allan o *Hwiangerddi'r Dref Wen,* John Gilbert Evans (gol.), Gwasg y Dref Wen, 1981;
Jôcs allan o *Jyst Joio,* Ieuan Rhys, Y Lolfa, 1988;
'Ofn' allan o *Nesa i Adrodd,* Selwyn Griffith, Gwasg Pantycelyn, 1985.

Rhagair

Euthum ati i baratoi'r gyfrol hon, a'i chwaer gyfrol *Campiaith 2*, ar gais gan Wasg Taf mewn ymateb i brosiect a gomisiynwyd gan Awdurdod Cwricwlwm ac Asesu Cymru. Yn unol â gofynion y cais fe ddefnyddiwyd y gyfres Saesneg *Reasons for Writing* fel patrwm ac ysbardun ar gyfer y llyfrau, ond rhaid pwysleisio fod y cyfrolau Cymraeg yn gwbl wreiddiol a newydd, a bod iddynt wedd Gymreig bendant.

Gwerslyfrau yw *Campiaith 1* a *Campiaith 2* – llyfrau i'w defnyddio gan ddisgyblion yn y dosbarth dan oruchwyliaeth athro neu athrawes. Ceir hawl llungopïo ar nifer o'r tudalennau er mwyn i'r plant allu cyflawni tasgau llenwi'r bylchau ac ati'n rhwydd a hwylus. O ran cynnwys, ceir cyfuniad o dasgau i annog gwahanol fathau o ysgrifennu (llythyr, adolygiad, pamffledyn, poster a llawer iawn mwy) a thasgau i ddatblygu sgiliau a gwybodaeth am iaith ac atalnodi. Neilltuir unedau hefyd i drafod a gwerthfawrogi gwaith awduron cydnabyddedig, yn gerddi a storïau. Trwy'r ddwy gyfrol fel ei gilydd, gwnaed ymdrech lew i wneud yr holl ddeunydd yn ddiddorol a pherthnasol i blant, ac i gynnwys dognau helaeth o hiwmor. Gall athrawon gymryd y cyfrolau o'u cwr gan weithio drwyddynt yn systematig neu ddewis a dethol o'r unedau yn union fel y mynnont.

Fe gymerodd bron i flwyddyn i gwblhau'r ddwy gyfrol yn derfynol, blwyddyn ddifyr a phrysur ar y cyfan. Ond ni allwn fyth fod wedi dod i ben o fewn y cyfnod hwnnw, hyd yn oed, oni bai am gefnogaeth sicr cyfarwyddwyr Gwasg Taf i mi gydol y daith. Diolch iddyn nhw. Dymunaf ddiolch hefyd i Ymgynghorydd y prosiect, Dr Gwyn Lewis, y Coleg Normal, am ei gymorth a'i anogaeth; i'r arlunydd Mr Anthony Evans am ei gyfraniadau bywiog; i aelodau'r Grŵp Monitro a fu'n goruchwylio datblygiad y cynllun; i'r awduron hynny y cynhwysir gwaith o'u heiddo yn y cyfrolau; i'r dylunwyr Smala am y gwaith cysodi; i staff Cyngor Llyfrau Cymru a Llyfrgell Gwynedd; ac yn olaf, ond yn sicr nid yn lleiaf, i bob ysgol a phlentyn a gyfrannodd ddeunydd. Diolch yn fawr i bawb.

Does dim ond gobeithio y caiff y cyfrolau hyn ddefnydd aml a thrwyadl yn ysgolion Cymru.

Meinir Pierce Jones
23 Mehefin 1996

Cynnwys

HELO 'NA!
Hunanbortreadau

Dyma sut yr ysgrifennodd Victoria a Hefin
a Jason a Ffion amdanynt eu hunain:

Rydw i yn hogan ddrwg weithiau achos rydw i'n pryfocio fy mrawd bach, ac rydw i yn hoffi galw ar blant i ddod i chwarae, 'run fath ag i chwarae ffansi dres neu rywbeth fel 'na. Rydw i yn cael gwersi nofio ar ddydd sadwrn ac rydw i wrth fy modd yn reidio ceffyl.

Victoria Owen

Fi fy hun.
Fy enw ydi Hefin Lloyd Wright. Rydw i yn 8 oed. Mae fy mhenblwydd ar Mawrth 29. Mae gennyf i bedwar brawd o'r enw Gareth, Bryn, Robin ac Emyr. Mae gennyf Mam a Dad, tair cath a pedwar ci. Mae gennyf ddefaid, ieir a gwartheg. Fy nghyfeiriad ydi, Tyddyn Isaf, Tudweiliog Pwllheli, Gwynedd.

Hefin.

Rydw i yn hoffi chwarae pêl-droed. Mi rydw i yn hoffi tîm Lerpwl. Mae gen i ddau gyfrifiadur – Nintendo a Sega. Mae Mam a Dad a fy nwy chwaer yn byw gyda fi. Mae gen i lofft daclus ond weithiau mae fy llofft yn flêr flêr.

Jason.

Fy enw i yw Ffion Davies ac rydw i'n wyth oed. Mae gen i un brawd a Mam a Dad. Mae gen i un gath, un gwningen ac un pysgodyn. Fy hoff fwyd yw tatws wedi cael eu malu efo moron. Rwy'n dal ac yn weddol dene mae gen i wallt hir ac mae gen i lygaid glas. Rwy'n gwneud bale ar ddydd Llun, ffidil ar ddydd Mawrth, dawnsio cyfoes ar ddydd Mercher a nofio ar ddydd Iau. Rwy'n mynd i'r "Brownies" ar ddydd Gwener. Pan fydd gen i amser sbâr rwy'n darllen. Rwy'n hapus ar y foment, ond pan mae rhywun yn dost neu yn marw rwy'n drist.

Ffion Davies.

Ydyn nhw'n debyg i chi?
Ydyn nhw'n wahanol?
Sut?

Rhowch gynnig ar ysgrifennu rhywbeth tebyg nawr. Llenwch y bylchau ar lungopi o'r tudalen hwn.

Fy enw i yw ....

Rwy'n byw yn ....

Aelodau fy nheulu i yw ....

Mae gen i wallt .... a chroen ....

Rwy'n gwisgo esgidiau maint ....

Fy hoff gêm yw ....

Y peth mwyaf gwerthfawr sydd gen i yw ....

Oes gennych chi arferion drwg?!

Ar ôl i chi lenwi'r bylchau ysgrifennwch dair neu bedair brawddeg ychwanegol amdanoch eich hun. Ceisiwch feddwl am y pethau sy'n eich gwneud chi yn **wahanol** i bawb arall, ac yn **arbennig**.

Ar ôl i chi orffen, gwnewch lun ohonoch eich hun i fynd gyda'r darn ysgrifennu. Lliwiwch ef yn ofalus.

HANNER MUNUD! - Ydych chi wedi rhoi priflythyren ar ddechrau pob brawddeg ac atalnod llawn (dotyn) ar ei diwedd?

MUNUD I'W SBARIO?

Eisteddwch mewn cylch a gwrandewch ar blant y dosbarth yn darllen eu disgrifiadau. Rhowch y disgrifiadau i gyd ar wal y dosbarth. Bydd rhaid i'ch athro neu'ch athrawes wneud disgrifiad a llun ohono ef neu hi'i hun hefyd! Glynwch hwnnw yn y canol!

DECHRAU O'R DECHRAU
Teitl Stori

Mae'n her i ddechrau ysgrifennu stori weithiau.

Mae llawer o awduron - a phlant - yn credu mai'r dechrau yw'r rhan fwyaf anodd o stori.

Mae **teitl da** yn gallu bod yn gymorth i sbarduno'r dychymyg.

Dyma i chi deitlau rhai llyfrau Cymraeg i blant tua'ch oed chi. Allech chi ysgrifennu stori am un neu fwy ohonyn nhw?

Y Dyn yn y Fynwent *Antur yr Atomfa*
Losin y Dewin   *Trowsus Tomi*
Dafydd ap Siencyn a'r Hen Gaer
Moti a'r Frechdan Jam Hud

Pa un o'r teitlau hyn yw'r gorau gennych chi? Allwch chi ddweud pam?

Oes yma deitl nad ydych chi ddim yn ei hoffi o gwbl? **Pa un? Pam?**

EWCH ATI!

Dewiswch un o'r teitlau uchod.

Peidiwch â dweud wrth neb pa un ydyw. Peidiwch ag ysgrifennu teitl y stori ar frig y tudalen.

Ysgrifennwch dair brawddeg gyntaf stori. Yna **STOPIWCH!**

Dangoswch eich brawddegau i blentyn arall yn y dosbarth (ond NID eich ffrind gorau!)

All y plentyn ddyfalu'n gywir pa deitl roeddech chi wedi'i ddewis?

Allwch chi ddyfalu'n gywir pa deitl roedd ef neu hi wedi'i ddewis?

Gwnewch arolwg i ganfod pa deitl oedd yr un mwyaf poblogaidd.

Sut Fath o Stori?

Mae teitl stori yn gallu awgrymu sut fath o stori gewch chi: stori hanes, stori antur, stori dylwyth teg, stori wyddonias.....

Dyma bum teitl newydd sbon danlli. Teitlau dychmygol ydynt:

Y Corrach Drygionus   *Cyfrinach y Cyfrifiadur*
Sgrech ar y Stryd   *Parti Pen Blwydd i Pero*
Tri Dymuniad Martha Puw

Pa un o'r rhain fyddai'r stori antur?
Pa un fyddai'r stori dylwyth teg?

MUNUD I'W SBARIO?

Ewch ati i wneud twba mawr lliwgar a'i osod yng nghornel y dosbarth.

Hwn fydd y TWBA TEITLAU.

Gan weithio gyda ffrind, ceisiwch feddwl am ddau deitl stori arbennig o dda.

Rhowch y teitlau i gyd yn y twba. Pan fydd rhywun yn y dosbarth yn methu â chael teitl i stori, gall durio yn y TWBA TEITLAU am un y mae'n ei hoffi.

Gallwch roi teitlau ychwanegol i mewn o dro i dro.
Gofynnwch i'r dosbarth drws nesaf am deitlau!

AWN ATI I ATALNODI!
Priflythyren ac Atalnod Llawn

Bydd brawddeg yn dechrau gyda **phriflythyren** (llythyren fawr) fel arfer.
Bydd brawddeg yn gorffen gydag **atalnod llawn** (dotyn) fel arfer.

1   Rhowch **briflythrennau** ac **atalnodau llawn**
yn y stori hon:

un dydd cefais fynd i chwarae i dŷ fy ffrind
mae seler yn eu tŷ nhw doedd y golau ddim yn
gweithio roedd hi'n dywyll fel bol buwch aethom
i lawr y grisiau yn ofalus yn sydyn clywsom sgrech
ofnadwy caeodd y drws yn glep

Beth ddigwyddodd wedyn? Ysgrifennwch **ddwy**
frawddeg i orffen y stori.

Cofiwch roi **priflythyren** ac **atalnod llawn** bob tro.

2   Rhowch **briflythrennau** ac **atalnodau llawn** yn y stori uchod:

un tro prynodd ffermwr geffyl bach gwyn daeth ag ef adref gollyngodd ef yn rhydd yng nghae'r defaid
carlamodd y ceffyl ar ôl y defaid toc dechreuodd eu brathu yn eu penolau roedd y defaid yn flin dros ben
roedd y ffermwr yn gandryll

Beth ddigwyddodd wedyn? Ysgrifennwch **bedair** brawddeg i orffen y stori. Cofiwch roi **priflythyren** ac
atalnod llawn bob tro.

3   Ysgrifennwch stori gyfan eich hunan.

Teitl y stori fydd un ai 'Y Swyn' neu 'Y Ddamwain'.

Cofiwch roi **priflythyren** ar <u>ddechrau</u> pob brawddeg ac **atalnod llawn** ar <u>ddiwedd</u> pob brawddeg.

16

Y BWGAN YN Y
LLWYN RHODODENDRON
Sbec ar Stori

Darllenwch y stori gyda'ch gilydd.
Ydy hi'n stori dda?

Ydych chi'n gwybod am rywle ble mae yna fwgan?
Ydych chi wedi'i weld neu ei glywed?
Sut fwgan ydy o?

Sut fath o fachgen ydy Philip yn hanner cyntaf y stori?
Ydy o wedi newid erbyn y diwedd? Pam, tybed?

Meddyliwch am Roli. Sut fachgen ydy o?
Beth sy'n gwneud rhywun yn ffrind gorau?

Ydych chi'n cofio'r diwrnod cyntaf yn yr ysgol?

Sut roeddech chi'n teimlo?

Oedd arnoch chi ofn rhywun neu rywbeth?

Y BWGAN YN Y LLWYN RHODODENDRON

Irma Chilton

Y noson cyn i Philip gychwyn yn yr ysgol newydd, gwelodd fwgan yn codi o'r llwyn rhododendron ar y lawnt. Hen fwgan mawr fel niwlen ddu, yn ymestyn ei freichiau allan fel crafangau yn chwilio am ysglyfaeth. Ew! Collodd Philip ei wynt. Neidiodd i'w wely, tynnu'r gwrthban dros ei glustiau a swatio yno'n crynu drosto.

Erbyn y bore, roedd o bron wedi anghofio am y bwgan a chychwynnodd yn dalog am yr ysgol a Mam yn ei hebrwng. Siwrnai fer oedd ganddyn nhw, dim ond rhyw dri chan llath a doedd dim angen croesi'r ffordd.

"Mae'n gyfleus iawn," meddai Mam, "ac fe fyddi di'n medru mynd ar dy ben dy hun ar ôl heddiw."

Gwgodd Philip. Roedd o wedi arfer cael Mam yn gwmni iddo ar ei ffordd i'r ysgol. Ac fe gyrraeddon nhw'n rhy fuan o lawer ganddo fo'r bore hwnnw hefyd. Drwy farrau'r ffens o gwmpas y buarth sbiodd yn gegrwth ar y torllwyth o blant cegog oedd yn gweiddi, yn ffraeo, yn ymladd, yn chwarae, yn chwerthin, yn neidio, yn prancio, yn cuddio ac yn gwau trwy'i gilydd fel . . . fel . . . nythaid o lynger. Gafaelodd yn dynnach yn llaw Mam.

Gyda hyn daeth y brifathrawes i'r buarth i hel pawb i mewn. Mrs James oedd ei henw hi. Roedd Philip wedi cwrdd â hi o'r blaen cyn gwyliau'r haf pan ddaethai Mam ag o yma i ymweld â'r ysgol. Daeth draw atyn nhw'n wên i gyd. Closiodd Philip at Mam. Doedd o ddim am ei gadael hi.

"Sut 'dach chi, Mrs Lewis?" meddai Mrs James. "A dyma Philip wedi cyrraedd. Tyrd gyda mi," meddai ac, yn gyfrwys iawn, heb iddo fo wybod sut, roedd hi'n gafael yn ei law, yn lle Mam. A chyn iddo dynnu anadl roedd Mam wedi ffarwelio ac yntau'n cael ei arwain ar draws y buarth ac i ddosbarth Mrs Ifans.

Cafodd rannu bwrdd gyda bachgen o'r enw Roli Griffiths ond wir, doedd ganddo ddim diddordeb mewn cael sgwrs â Roli. Eisteddai'n drist gan syllu ar y llyfrau a gynigiai Mrs Ifans iddo a chan feddwl am ei hen ysgol a'i ffrindiau yno. Brwydrai ei orau i gadw'r dagrau rhag disgyn.

Bu'n ddiwrnod hir. Bu ond y dim iddo gymryd y goes amser cinio. Fe fyddai'n well o lawer ganddo gael brechdan wy wedi'i ffrio'n feddal gan Mam na'r pasti a sglodion a gafodd yn yr ysgol. Ond fe ddaeth Mrs James ei hun i'w hebrwng i'r neuadd fwyta. Gofynnodd hi i Roli i eistedd gydag o a chwarae gydag o wedyn, ond doedd ar Philip ddim awydd chwarae er i Roli ddweud bod ganddo grwban gartref. Doedd Philip ddim wedi gweld crwban byw yn agos ac fe fyddai wrth ei fodd yn gweld y crwban hwn—ond doedd ganddo ddim diddordeb heddiw.

Am hanner awr wedi tri, fo oedd y cyntaf allan o'r dosbarth a phan welodd o Mam yn aros amdano wrth y giât, fe hedodd tuag ati a thaflu'i freichiau am ei chanol.

Fore trannoeth bu'n rhaid iddo gychwyn i'r ysgol ar ei ben ei hun. Teimlai'n dipyn o lanc yn troi i godi llaw ar Mam wrth fynd ar hyd llwybr yr ardd. Sgwariodd ei ysgwyddau wrth nesu at y llwyn rhododendron. Ac yna, o gornel ei lygaid dde, fe welodd y bwgan eto a chlywed siffrwd yn nail y llwyn fel petai rhywun neu rywbeth yn ymestyn ei freichiau. Dechreuodd ei galon bwmpio'n gyflymach. Trodd ei waed yn ddŵr. Ond roedd o am fod yn ddewr. Wynebodd y gelyn yn gadarn—ond roedd hwnnw wedi diflannu gan adael dim ond amlinell annelwig o'i ffurf enfawr i ddangos lle bu.

Roedd Philip yn chwys domen. Ceisiodd lithro heibio i'r llwyn ond wrth wneud teimlodd gyffyrddiad oer ar ei wegil yn ei oglais ac yna'n gwasgu ... sgrechiodd a rhedeg 'nôl i'r tŷ i freichiau Mam.

Bu'n rhaid iddi hi ei hebrwng i'r ysgol eto'r bore hwnnw. A'r un oedd yr hanes bob bore ar hyd yr wythnos. Roedd Mam yn siomedig.

"Rwyt ti bron yn wyth," meddai "a dim ond herc, cam a naid sydd gen ti i fynd."

Allai o ddim dweud wrthi am y bwgan. Fyddai hi ddim yn deall. Doedd pobl mewn oed ddim yn coelio mewn bwganod. Plygai'i ben pan fyddai hi'n ei ddwrdio, heb ddweud yr un gair.

Y bwgan oedd ei boen fwyaf bellach gan ei fod o'n dechrau cael ei draed dano yn yr ysgol. Roedd Roli'n un da am dynnu sgwrs ac roedd o wedi'i wahodd i'w gartref fore Sadwrn i weld y crwban. Clobyn oedd ei enw. Roedd ar Philip eisiau derbyn y gwahoddiad ond sut y gallai fynd heibio i'r llwyn rhododendron heb i'r bwgan estyn amdano a'i larpio? Gwnaeth esgus i beidio â mynd ond erbyn diwedd yr wythnos roedd yn edifar ganddo.

Brynhawn dydd Gwener roedden nhw ill dau wrthi'n peintio llun o'r gofod. Wrth gymysgu'r glas a'r melyn, gofynnodd Roli i Philip pam oedd ei fam yn dal i'w hebrwng i'r ysgol. Hen gwestiwn cas!

Ni chododd Philip ei ben o'i lun. Teimlai'n rhy swil i gyfaddef, hyd yn oed wrth Roli, fod rhywbeth yn codi ofn arno. Ond ar ôl llyncu'i boer ddwywaith neu dair, mwmliodd, "Mae 'na fwgan yn y llwyn rhododendron."

Doedd Roli ddim am ei amau am eiliad.

"Ew, oes?" meddai. "Hoffwn i weld bwgan."

"Mae o'n hyll," meddai Philip ... ac am weddill y prynhawn bu'n ei ddisgrifio i Roli. Roedd gan hwnnw ddiddordeb mawr ac fe addawodd ddod draw bore wedyn i gael golwg ar y creadur drosto'i hun.

Fe ddaeth hefyd, toc ar ôl brecwast. A dyna lle buon nhw am hydoedd yn gwylio'r llwyn ond heb gael cip ar y bwgan cas.

"Cuddio mae'r gwalch," barnodd Roli. "Fe wn i sut i'w hel o allan."

A dyna fo'n dechrau gweiddi a neidio a churo'r llwyn a'r lawnt nes bod pob man yn atseinio. Ymunodd Philip yn y reiat. Chafodd o erioed ffasiwn hwyl. Ymhen hir a hwyr, taerodd Roli iddo weld rhywbeth fel niwl yn codi o'r llwyn ac yn symud i lawr at y giât . . .

"Mae o'n dianc. Ar ei ôl o!" gwaeddodd.

Fe redodd y ddau nerth eu traed ar hyd y stryd, heibio i'r ysgol ac i'r parc.

"Rydan ni wedi'i golli o," meddai Roli o'r diwedd. "Hai lwc ar ei ôl o! Gad i ni fynd ar y sglefren."

Fe gafodd y ddau fore wrth eu bodd yn y parc ac fe aeth Philip i weld Clobyn, y crwban, cyn cinio hefyd.

Ac er mai Roli, ac nid efô, a welodd y bwgan yn dianc, welodd o ddim cysgod y creadur fyth wedyn. Âi'n ôl ac ymlaen i'r ysgol, i'r parc ac i bobman heb boeni dim yn y byd. A phob tro y byddai Mrs Ifans yn darllen stori am fwgan neu gawr byddai'n rhoi pwt i Roli. Roedd Roli'n gwybod sut i gael gwared ar y taclau!

Ar ei ffordd i'r ysgol ar yr ail ddiwrnod mae Philip yn gweld y bwgan yn y llwyn rhododendron!
Mae ei galon yn pwnio'n gyflymach.
Mae ei waed yn troi'n ddŵr.

Dychmygwch eich bod chi'n gweld bwgan brawychus.
Mae o'n sefyll yn y cysgod ac yn estyn ei law amdanoch.

Disgrifiwch sut rydych chi'n teimlo.

Beth sy'n digwydd i'ch gwallt?
Beth sy'n digwydd i'ch traed?
Beth sy'n digwydd i'ch croen?
Beth sy'n digwydd i'ch ceg?
Beth sy'n digwydd i'ch llygaid?
Beth sy'n digwydd i'ch dwylo?

Atebwch ar y patrwm:

Mae fy ngwallt yn . . . . . troi'n wyn/sefyll lan.

CERDD DDOSBARTH

Mae'r awdur wedi disgrifio beth mae'r plant yn ei wneud yn y buarth:

'yn gweiddi, yn ffraeo, yn ymladd, yn chwarae, yn chwerthin, yn neidio, yn prancio, yn cuddio ac yn gwau trwy'i gilydd'

Gyda'ch gilydd, ysgrifennwch gerdd ddosbarth i ddisgrifio beth mae'r plant yn ei wneud yn yr ystafell ddosbarth. Gallwch ddechrau fel hyn:

Mae'r plant yn y dosbarth . . . .
yn sgwrsio
yn lliwio
yn . . . .

Gallwch orffen y gerdd gyda'r geiriau:
'Mae'r plant yn y dosbarth yn dysgu.'

ANNWYL HWN A HON
Ysgrifennu Llythyr

Edrychwch ar y llythyr hwn a anfonodd Rwdlan at y Dewin Dwl. Mae'n batrwm o lythyr.

Tan Domen,
Gwlad y Rwla,
Ebrill 1af

Annwyl Dewin Dwl,
Helo! Mae gen i gyfrinach fawr FAWR i'w rhannu gyda ti. Os wyt ti am glywed, tyrd draw i Tan Domen yn syth, a phaid â dweud wrth neb. Tyrd yn dawel bach yn nhraed dy sana — heb fanana!
Cofion Cyfrinachol,
Rwdlan XX
O.N. Os yw'r Dewin Doeth yn holi bydd rhaid i ti feddwl am esgus i ddianc....

Nawr rhowch gynnig ar ysgrifennu llythyr eich hunan.

Ysgrifennwch lythyr at eich ffrind gorau.

Oes gennych chi newyddion diddorol?

Ydych chi am wahodd eich ffrind i ddod i aros?

Dyma sut y dylech osod eich llythyr ar bapur:

Enw'r tŷ neu stryd a rhif y tŷ
Enw'r dref / pentref
Enw'r sir
Côd post
y dyddiad

Annwyl.........

Cofion gorau neu Hwyl Fawr

Dyma'r amlen a ddefnyddiodd Rwdlan i yrru'r llythyr at y Dewin Dwl.

Nawr ysgrifennwch enw a chyfeiriad eich ffrind ar bapur siâp amlen.

Ysgrifennwch y cyfeiriad yn gywir ac yn daclus ar yr amlen.

Nawr ysgrifennwch eich cyfeiriad eich hun ar bapur siâp amlen.

O ie, peidiwch ag anghofio'r **côd post!**

Gofynnwch i'r person sy'n eistedd wrth eich ymyl ysgrifennu ei gyfeiriad yn daclus ac yn gywir ar amlen debyg i hon.

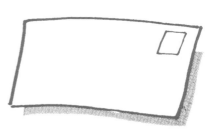

Cynlluniwch stamp lliwgar i'w roi ar amlen Rwdlan. Gwnewch ef yn llawer iawn mwy na stamp go-iawn.

MUNUD I'W SBARIO?

!

Dychmygwch mai chi yw'r Dewin Dwl!

Ysgrifennwch lythyr yn ôl at Rwdlan wedi i chi fod yn Ogof Tan Domen.

Rydych yn gwybod beth yw'r gyfrinach nawr, cofiwch!

!

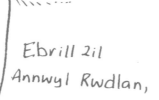

O DIAR, DIAR DOCTOR....
Llunio Rheolau

Gwnaeth rhywun lanast difrifol o baratoi rheolau ar gyfer ystafell aros Meddygfa Bryn Eithin.

Rhaid i **chi** roi trefn ar y rheolau dwl yma cyn i'r feddygfa newydd agor!

Gallwch ddilyn dau batrwm wrth ailysgrifennu'r rheolau.

Peidiwch â........   (e.e. Peidiwch â bwyta da da cyn cinio.)

Dim.........   (e.e Dim parcio ar y llinellau melyn.)

Ar ôl i chi dderbyn llungopi o'r feddygfa, peintiwch dros yr hen arwyddion.

Ysgrifennwch y rheolau newydd yn daclus ac yn gywir.

EWCH ATI!
Ewch ati yn awr i baratoi set o reolau ar gyfer **cantîn** yr ysgol neu **gae chwarae lleol**.

1. Gwnewch nodiadau mewn braslyfr i ddechrau.

2. Cofiwch am y patrymau: **Peidiwch â... Dim ...**

3. Ar ôl i chi lunio'r rheolau, gwnewch lun o'r cantîn neu'r cae chwarae ac yna gosodwch eich arwyddion yn dwt ble dylent fod.

HANNER MUNUD!

Mae'n bwysig **iawn** fod rheolau swyddogol wedi eu hysgrifennu'n gywir. Gofynnwch i'ch athrawes neu edrychwch mewn geiriadur os nad ydych yn sicr sut i sillafu gair.

BWRW IDDI
Dechrau Stori

Ydy hi'n anodd bwrw iddi gyda stori weithiau?

Ydy o'n wir mai'r frawddeg gyntaf yw'r un galetaf un?

Dyma dair brawddeg gyntaf ar gyfer tair stori wahanol:

Erstalwm iawn roedd deinosor anhapus o'r enw Nansi yn byw mewn coedwig ger Afon Menai.

Pan ddeffrôdd Bedwyr fore dydd Sadwrn roedd ei galon yn curo fel drwm, ac fe ddyweda i wrthych chi pam.

'Argyfwng! Rydyn ni mewn perygl!' gwaeddodd Alphos, capten y llong ofod *Sadwrn* gan alw ei griw ynghyd.

Pa un o'r brawddegau hyn yw'r orau gennych chi?

Dewiswch un o'r tair brawddeg uchod ac ysgrifennwch y stori yn gyfan.

Cofiwch am y cymeriad sy'n cael ei enwi yn y frawddeg gyntaf. Ceisiwch roi digwyddiad cyffrous neu ddiddorol yn y stori.

Os oes amser ar ddiwedd y bore neu'r pnawn, gallwch wrando ar rai o storïau'r dosbarth yn cael eu darllen.

EWCH ATI! Ewch ati'n awr i ysgrifennu **brawddeg gyntaf wych** ar gyfer stori.

Fe allech chi sôn am anifail neu blentyn.

Fe allech chi ddechrau stori antur neu ddirgelwch

EWCH I DURIO!

Ewch i'r llyfrgell a chwiliwch am dair brawddeg gyntaf stori.

Dewiswch dair brawddeg rydych chi'n eu hoffi.

Copïwch y brawddegau yn eich llyfr gwaith. Byddwch yn ofalus wrth gopïo, rhag i chi anghofio gair neu goma!

Ysgrifennwch stori newydd eich hun yn dilyn <u>un</u> o'r tair brawddeg.

MUNUD I'W SBARIO?

Gwnewch gasgliad o frawddegau pawb yn y dosbarth. Rhowch hwy mewn bocs o'r enw BOCS BRAWDDEGAU CYNTAF a'i osod yn ymyl y TWBA TEITLAU.

Pan fydd rhywun yn methu cael syniad i ddechrau stori, gall bysgota yn y BOCS BRAWDDEGAU CYNTAF am un sy'n ei blesio!

A B C AM YR WYDDOR
Yr Wyddor

1 Ysgrifennwch yr wyddor yn daclus mewn llythrennau bychain.
Ysgrifennwch yr wyddor yn daclus mewn priflythrennau.

2 Roedd Mrs Parri wedi gosod popeth mewn trefn yn ei dosbarth cyn y gwyliau.
Ond pan daeth hi yn ei hôl, roedd hi'n draed moch yno!
Rhowch help llaw i Mrs Parri drwy osod y pethau hyn i gyd yn nhrefn yr wyddor.

bwrdd du

wermod

cofrestr

llyfrau

organ geg

glôb

ysbienddrych

racedi tenis

(y) ddogfen gyfrinachol

hysbysfwrdd

teledu

utgorn

nofelau

sgerbwd Siwsana Mê (a'i phenglog)

rhwbiwr

chwyddwydr

thermomedr

ffosiliau

pensiliau

fideos

lampau

argraffydd

ffôn

inc-bob-lliw

meicrosgop

eiddew

drymiau

3 Pa lythyren yn yr wyddor sy'n llenwi'r bylchau? Maent yn dilyn trefn yr wyddor.

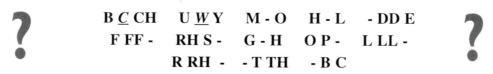

B _C_ CH   U _W_ Y   M - O   H - L   - DD E
F FF -   RH S -   G - H   O P -   L LL -
R RH -   - T TH   - B C

4 Ysgrifennwch enwau bedydd aelodau'ch dosbarth yn nhrefn yr wyddor.

5 Darllenwch y stori:

Yn llyfrgell y coleg roedd yna fyfyriwr. Roedd o'n helpu i baratoi geiriadur newydd.

Roedd o wedi bod yn gweithio'n galed drwy'r dydd.
Roedd o wedi bod yn edrych ar eiriau.
Roedd o wedi bod yn meddwl am eiriau.
Roedd wedi bod yn ysgrifennu geiriau.
'Nawr roedd o bron â mynd yn hurt.

'A dim ond ar eiriau yn dechrau gyda'r llythyren "b" yr ydw i byth,' meddai'r myfyriwr, gan edrych yn ddryslyd ar y geiriau:

bachiad
baglu
baldorddi
bethma
botwm gŵr ifanc
brolio
bwbach
bwi.

Rhaid i'r myfyriwr gael cymorth!

Tybed pa eiriau oedd gan y myfyriwr yn dechrau gydag A? Gwnewch restr o **ddeg gair yn dechrau gydag A.**

Y llythyren sy'n dod ar ôl B yw C. Helpwch y myfyriwr drwy wneud rhestr o **ddeg gair yn dechrau gydag C.**

Nawr, rhowch ddwy lythyren o'r wyddor i bob aelod o'r dosbarth. Tasg pob aelod fydd gwneud rhestr o **ddeg gair** yn dechrau gyda'r ddwy lythyren sydd ganddo: **ugain llythyren** i gyd.

6 Dyma nifer o deitlau llyfrau addas ar gyfer plant eich oed chi. Mae Wiliam yn fachgen taclus dros ben, ac mae am eu rhoi ar ei silff lyfrau yn nhrefn yr wyddor.

Rhowch gymorth iddo drwy roi **teitlau'r llyfrau** yn nhrefn yr wyddor.

Dannedd Gosod Ben	Gwyn Morgan
Mac Pync	Alys Jones
Sachaid o Straeon	Brenda Wyn Jones
Wmffra	Emily Huws
Chwarae Cardiau	Ieuan Griffith
Llyfr Cwis y Beibl	Siân Lewis
Miwsig y Misoedd	Robat Arwyn
Agi! Agi! Agi!	Urien Wiliam
Morus Mihangel a'r Deisen	Mair Wynn Hughes

STORI A LLUN – LLUN A STORI
Datblygu Stori o Luniau

Mae stori gyfan yn y chwe llun yma.

Edrychwch ar y lluniau ac yna ysgrifennwch y stori.

Dewiswch chi enwau i'r ddwy ferch yn y stori. Ai ffrindiau ynteu dwy chwaer ydyn nhw?

Allwch chi feddwl am deitl i'r stori?

Ysgrifennwch y stori mewn geiriau. Bydd angen brawddeg neu ddwy ar gyfer pob ffrâm.

Beth am gydweithio gyda ffrind, ac ysgrifennu'r stori gyda'ch gilydd?

Cofiwch roi **priflythyren** ar ddechrau pob brawddeg ac **atalnod llawn** ar y diwedd.

Ewch yn ôl i wneud yn siŵr eich bod wedi gwneud hyn **bob tro**.

MUNUD I'W SBARIO?

Bydd arnoch angen recordydd tâp a meicroffôn arno.
Rhannwch yn grwpiau. Bydd un o bob grŵp yn adrodd un ffrâm o'r stori. Felly bydd chwech o blant yn adrodd y stori i gyd. Gall gweddill y dosbarth wneud effeithiau sain – sŵn traed, sŵn gweiddi, sŵn sgrech ac ati.

31

HOLI GWYN MORGAN
Cyfweliad gydag Awdur

Un o Drecynon, ger Aberdâr, yw'r awdur GWYN MORGAN. Athro ysgol ydyw wrth ei waith bob dydd. Ei ddiddordebau yw cerdded, darllen a choginio.

Ydych chi wedi darllen rhai o'i lyfrau i blant?

> *Dannedd Gosod Ben; Zac yn y Pac;*
> *Rwba Dwba; Ben ar ei Wyliau;*
> *Harri Hyll yr Ail.*

Pa un yw eich ffefryn chi?

Bu golygydd *Campiaith* yn holi Gwyn Morgan:

Pam y gwnaethoch chi ddechrau ysgrifennu?

Pan oeddwn i'n fachgen torrodd iechyd fy nhad. I mi, roedd ysgrifennu'n help i ddod i delerau â phethau. Drwy ysgrifennu ro'n i'n gallu anghofio a difyrru pobl ar yr un pryd.

Oeddech chi'n mwynhau ysgrifennu pan oeddech chi'n fachgen ysgol?

Oeddwn, er nad oedd yr iaith yn gywir bob amser! Byddwn yn cael llawer o farciau coch yr athro ar fy ngwaith. Doedd dim llawer o ots gen i, rwy'n ofni; mwynhau ysgrifennu oedd yn bwysig!

Sut byddwch chi'n cael syniad am stori?

Digwydd bod yn y lle iawn ar yr amser iawn.

Cymerwch Wil a Meri, y bobl drws nesaf pan oeddwn i'n fach er enghraifft – dyna gymeriadau! Byddai plant y stryd yn tyrru i weld Wil yn cael bath yn y twba o flaen y tân. Bath cyhoeddus!

Roedd un peth hynod arall ynglŷn â Wil a Meri; roedd y ddau'n rhannu dannedd gosod! Ar fy ngwir! Dim ond un oedd yn cael gwenu ar y tro. Dim ond un oedd yn gallu bwyta ar y tro. Dychmygwch y ras am y dannedd gosod wrth godi yn y bore. Dyna eni *Dannedd Gosod Ben*.

Fe ges i'r syniad am *Rwba Dwba* oddi wrth Wil. Roedd e'n dipyn o dynnwr coes ac yn froliwr heb ei ail. Byddai Wil yn dweud y pethau mwyaf anhygoel wrthym ni'r plant. Dywedodd wrtha i ei fod wedi dringo mynydd ucha'r byd, a nofio'r môr lleta, ac roeddwn i'n ei gredu.

Pa un sy'n dod gyntaf, y stori ynteu'r cymeriad?

Y cymeriad. Fe seiliais *Zac yn y Pac* ar fachan a arferai fyw yn ein stryd ni yn Nhrecynon. Roedd Alan Lewis yn chwarae i dîm pêl-droed 'Trecynon Stars', y tîm ro'n i'n ei gefnogi bryd hynny. Fe oedd f'arwr am ei fod yn chwaraewr dawnus a theg. Fe geisiodd fy nysgu sut i droi'r bêl yn yr awyr, ond wrth ymarfer torrais ffenest Theatr y Coliseum a bu'n rhaid talu am ffenest newydd!

Ydy ysgrifennu ar gyfer plant yn waith anodd? Ydy e'n waith mwy anodd na bod yn athro?

Ydy, oherwydd pan ydych chi'n ysgrifennu, rydych chi ar eich pen eich hun. Rwy'n ysgrifennwr araf iawn, ac yn ailwampio ambell ran drosodd a throsodd. Ond rwy'n lwcus i gael plant sy'n fodlon gwrando ar fy ngwaith. Mae'n bwysig tu hwnt cael cynulleidfa er mwyn gweld a ydyw'r stori'n gweithio.

EWCH ATI!

Mae Gwyn Morgan, yr awdur, a Dai Owen, yr artist sy'n dylunio'i lyfrau, yn cydweithio'n llwyddiannus.

Rhannwch yn barau: un sy'n dda am ysgrifennu stori, ac un sy'n dda am wneud lluniau. Gweithiwch gyda'ch gilydd i gynllunio stori a lluniau.

Teitl y stori fydd 'Y Gêm' neu 'Y Bobl Drws Nesaf'. Trafodwch gynllun y stori gyda'ch athrawes.

Oes ganddi syniadau i'w gwella?

Ysgrifennwch ddrafft cyntaf y stori. Gwnewch y lluniau bras (mewn pensil).

Paratowch ail ddrafft y stori, a gorffen y lluniau.

Teipiwch y stori ar y cyfrifiadur, a'i hargraffu.

Gan ddilyn patrwm *Dannedd Gosod Ben*, glynwch y stori o dan y lluniau.

Nawr, rydych wedi gwneud llyfr!

Rowch enw'r awdur a'r arlunydd ar glawr y llyfr.

ROBIN A FI
Cymeriadau mewn Stori

Mae'n bwysig cael cymeriad ym mhob stori.

Ambell waith byddwch yn ysgrifennu stori amdanoch eich hun. 'Fi' yw'r enw arnoch yn y stori honno.

Dyma ran o stori a ysgrifennodd Non. Hi yw'r 'fi' yn y stori. Robin yw ei brawd bach.

Ro'n i'n edrych ar raglen ar y teledu un diwrnod ac yn cael hwyl iawn wrth 'i gwylio. Wedi i'r rhaglen ddarfod dyna fi'n codi i estyn diod o lefrith i mi'n hun ac yn disgyn yn glewt ar fy nhrwyn. Tra ro'n i'n edrych ar y rhaglen roedd Robin wedi clymu fy nhraed i wrth 'i gilydd efo cortyn. Ar y pryd ro'n i'n wyllt ulw. Ond wedi imi ddod ataf fy hun ac i 'nhrwyn i stopio brifo ro'n i'n gallu chwerthin am ben y peth. Fy ngwaed i wedi oeri, medda Mam....

Ychydig ar ôl yr helynt hwnnw roedd Miss Ifans yn rhoi gwers ymarfer corff i'r plant bach.

"Tynnwch eich dillad rŵan," medda hi.

Jyrsis a chotiau gweu a phetha trymion felly roedd hi'n 'i feddwl, er mwyn iddyn nhw fod yn ysgafn braf i allu rhedeg a neidio. Y munud nesa roedd Robin yn sefyll ar ganol y llawr yn borcyn noeth ac yn gwenu o glust i glust.

Hwyl ydi peth fel'na wrth edrych yn ôl. Ond mae yna adega wedi bod pan o'n i'n teimlo fel rhoi cweir go iawn i Robin.

Ro'n i wedi bod yn crio un diwrnod. Fydda i ddim yn crio llawar. Ond roedd hwnnw wedi bod yn ddiwrnod annifyr sobor, pawb wedi bod yn gas ac yn fy ffraeo i am ddim byd. Ac wedi imi gyrraedd adra mi ges i ffit o grio a sgrechian dipyn i ollwng stêm. A be ddaru'r hen goblyn bach ond cymryd pin ffelt coch a sgwennu SGRECH GOED yn fawr ar ddrws fy llofft i. Mi gym'rodd oria i mi drio sgrwbio'r geiria i ffwrdd.

Beth mae'r tamaid hwn o stori yn ei ddweud wrthym am gymeriad Non?
Beth mae'n ei ddweud wrthym am Robin, ei brawd bach?

Tanlinellwch bopeth a ddywedir am **Robin** mewn **inc coch**.
Tanlinellwch bopeth a ddywedir am **Non** mewn **inc gwyrdd**.

Sylwch fod yr awdur yn ychwanegu rhyw wybodaeth newydd o hyd am y cymeriadau.
Nid yw'n dweud popeth ar unwaith, ar y dechrau, ond yn rhyddhau'r wybodaeth fesul tipyn.

Ceisiwch wneud yr un modd eich hunan.
Ysgrifennwch baragraff i'w ychwanegu at y stori.
Dywedwch **rywbeth newydd** am Non a Robin yn y paragraff.
Gallwch ddechrau gyda'r geiriau:
Un tro, pan oeddwn i yn y bath, dyma Robin....
Gwnewch lun tebyg i gartŵn i fynd gyda'r stori.

Yr enw ar gymeriad nad yw'n bod ond mewn stori yw CYMERIAD DYCHMYGOL.

Dyma dri chymeriad dychmygol i chi ysgrifennu amdanynt:

DOTI

Cath fawr lwyd yw Doti sy'n byw gyda'i meistres Elin Gwyn mewn tŷ wrth odre'r Wyddfa. Mae'r ddwy wrth eu bodd yno. Ond weithiau bydd pobl yn dod o bellter byd i ofyn am fenthyg Doti. Ac mae rheswm da am hynny.

Mae Doti'n gath arbennig iawn. Mae hi'n gallu siarad gydag ysbrydion.

Sut rai yw'r ysbrydion y mae Doti'r gath yn siarad gyda nhw, tybed?
Cas neu glên neu ddoniol?

MORGAN Y MÔR-LEIDR

"Gwyliwch eich hunain y tacle bach!" taranodd Morgan y môr-leidr. "Fe fydda i'n cipio plant ac yn eu gorfodi i sgwrio llorie fy llong *Gwrach y Môr* ac i fwyta pysgod amrwd i frecwast! Ac fe'ch dalia i chi nawr mewn chwinciad gyda'r rhaff fawr hon. Ahaa!!"

Gaiff y plant eu dal gan Morgan y môr-leidr?
Oes rheswm pam mae Morgan yn fôr-leidr mor gas a chreulon?

CADI SIW

Dyma Cadi Siw. Mae hi'n byw gyda'i mam a'i thad yn 11 Stryd Gam, Trebell. Mae hi'n hoffi gwylio'r teledu a reidio'i beic a bwyta cyri a hufen iâ siocled. Mae hi'n gallu nofio a sglefrfyrddio. Mae hi hefyd yn gallu hedfan.

I ble mae hi'n hedfan? I Eurodisney? I ben Cadair Idris?
I'r lleuad?

Siaradwch am y tri chymeriad gyda phlant eraill yn y dosbarth. Pa un o'r tri yw eich ffefryn chi? Ysgrifennwch stori am <u>un</u> o'r tri.

Y STYRACOSAWRWS A'R SIANI
Disgrifio'n Ofalus

Dyma lun o'r styracosawrws:

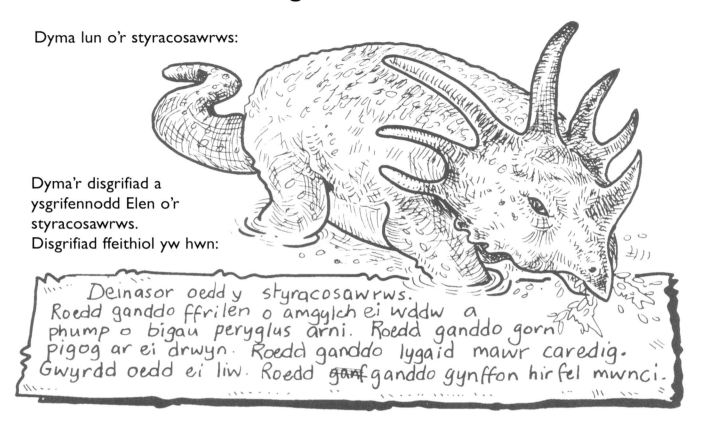

Dyma'r disgrifiad a
ysgrifennodd Elen o'r
styracosawrws.
Disgrifiad ffeithiol yw hwn:

Deinasor oedd y styracosawrws.
Roedd ganddo ffrilen o amgylch ei wddw a
phump o bigau peryglus arni. Roedd ganddo gorn
pigog ar ei drwyn. Roedd ganddo lygaid mawr caredig.
Gwyrdd oedd ei liw. Roedd ganddo gynffon hir fel mwnci.

Sawl camgymeriad sydd yn nisgrifiad Elen?
Mae'n bwysig disgrifio'n ofalus ac yn gywir.
Ailysgrifennwch y darn gan gywiro pob gwall.

Mae **cerdd** yn ffordd wahanol o ddisgrifio.
Darllenwch y gerdd hon am y Siani Flewog:

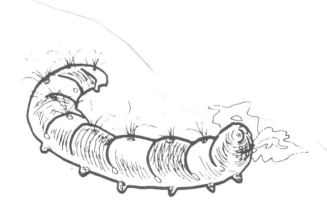

Siani Flewog

Mae'n flewog fel gwlân,
ac yn frown fel pridd.
Cerdda yn ysgafn,
fel gwallt yn symud yn y gwynt.
Cosa pan mae'n cerdded arnoch,
fel peiriant torri gwallt yn cosi'r glaswellt.
Bwyta'n araf gan wyro'i phen,
'nôl a 'mlaen
a 'mlaen a 'nôl.
Agora ei cheg yn araf.
Cyrlia i fyny
fel pêl-droed,
pan mae'n ofnus.

Alun Lloyd (8 oed)

36

Ydych chi'n hoffi'r disgrifiadau o'r siani flewog yma?
Ydych chi'n meddwl fod y disgrifiad o'r siani flewog a geir yma yn un cywir?

Fel.....

Mae Alun yn defnyddio **fel** yn ei gerdd.

Mae'n dweud fod y siani flewog yn **'flewog fel gwlân'**.
Mae'n dweud fod y siani flewog yn **'frown fel pridd'**.
Mae'n dweud fod y siani flewog yn **'cyrlio fel pêl-droed'**.

Ysgrifennwch gerdd am 'Y Pry Copyn/Corryn' neu 'Y Dieithryn'.

Yn gyntaf , gwnewch restr o ddisgrifiadau o'r creadur.

Gallech ddweud fod ei gorff **'fel....'** rhywbeth.
Gallech ddweud fod ei lygaid **'fel....'** rhywbeth.
Gallech ddweud ei fod yn symud **'fel....'** rhywbeth.

Ar ôl gwneud y rhestr gallwch symud llinellau o gwmpas.
Gallwch groesi pethau allan.
Gallwch ofyn i'ch athrawes neu i ffrind am awgrymiadau.

Nawr, gwnewch gopi o'r gerdd yn eich llawsgrifen orau.

Gwnewch lun da o'r pry copyn/corryn neu'r dieithryn i fynd gyda'r gerdd.

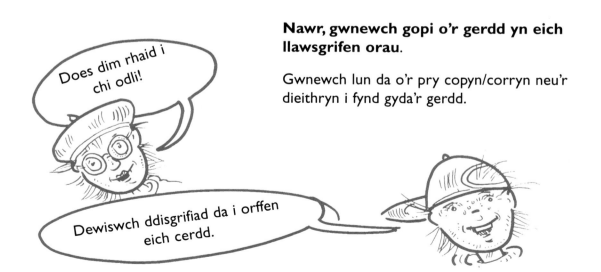

BETH SYDD MEWN ENW?

Enwau

Mae gan bopeth **enw.**

I Beth yw **enwau'r** pethau hyn?

2 Dyma lun **cegin.**

Gwnewch restr o **enwau'r** pethau a welwch yn y **gegin.**

<u>   **tecell**   </u> _____ _____ _____ _____

_____ _____ _____ _____ _____

3 Nawr estynnwch am eich llyfrau gwaith.

Ysgrifennwch enwau pedwar o bethau **yn eich cegin gartref** nad ydynt i'w gweld yn y llun.

Ysgrifennwch enwau pedwar anifail a welwch **mewn sŵ.**

Ysgrifennwch enwau pedwar peth a welwch **mewn cae chwarae.**

Ysgrifennwch enwau pedwar **math o adeilad.**

4 Dyma stori. Rhowch **enwau** yn y bylchau yn y stori.

Un diwrnod poeth yn yr haf aeth .... a'i thad i'r ....
Aeth â rhaw a .... gyda hi.
Yno, gwelodd ei ffrind yn chwarae gyda .... yn ymyl y ....
Roedd hi'n cael hwyl fawr.
    "Hei!" gwaeddodd arni. "Beth am fynd i'r siop i brynu .... ?"
Ond chlywodd ei ffrind yr un gair. Roedd hi newydd weld .... anferthol yn y môr.

Beth ddigwyddod wedyn? Gorffennwch y stori. Tanlinellwch bob **enw** yn y stori.

MUNUD I'W SBARIO?

Gwnewch lun troli mewn archfarchnad. Yna llenwch y troli gydag enwau bwydydd a diodydd.

39

PWYSO A MESUR
Mynegi Barn o Blaid neu yn Erbyn

Ambell dro, bydd rhaid i ni bwyso a mesur **o blaid** neu **yn erbyn** rhywbeth.

Gallwn ddefnyddio'r geiriau 'mantais' ac 'anfantais' wrth wneud hyn.

Dyma **chwech** o bethau y gellir eu cael mewn cartref.
Ceisiwch chi fesur y **fantais** a'r **anfantais** ym mhob achos.

gwelyau bync

tân glo

ffôn

teledu

babi

piano

Dilynwch y patrwm:

Mantais cael *teledu* yn y cartref yw........
Anfantais cael *teledu* yn y cartref yw.......

NEU gallech ddilyn y patrwm hwn:

Mae cael teledu yn y cartref yn **beth da oherwydd.....**
Mae cael teledu yn y cartref yn **beth drwg/gwael oherwydd.....**

Car neu Ddim Car?

Un noson mae teulu'r Puwiaid yn cael dadl boeth iawn. Maen nhw'n dadlau a ddylen nhw gael car ai peidio.

Trafodwch gyda'ch gilydd mewn grwpiau beth yw **manteision** ac **anfanteision** cael car.

Gwnewch restr O BLAID ac YN ERBYN yn eich llyfrau gwaith.

Mae Harri Puw ac Anna Puw **o blaid** cael car. Lluniwch restr daclus a chyflawn o'u rhesymau hwy. Dilynwch y patrwm:

Rydyn ni **o blaid** cael car oherwydd . . .

Gallwch roi llawer mwy na dau reswm!

Mae Magi Puw a Rhodri Puw **yn erbyn** cael car. Lluniwch restr daclus a chyflawn o'u rhesymau hwy. Dilynwch y patrwm:

Rydyn ni **yn erbyn** cael car oherwydd . . .

Rhifwch y dadleuon **o blaid** ac **yn erbyn**.

Pwy sy'n ennill y ddadl? Harri ac Anna ynteu Magi a Rhodri?

DIWRNOD DA
Cadw Dyddiadur

Dyma ddyddiaduron Sharon a Rebecca.

Maen nhw'n sôn am yr un digwyddiad, ar yr un diwrnod, yn yr un dosbarth.

Darllenwch y ddau ddyddiadur.

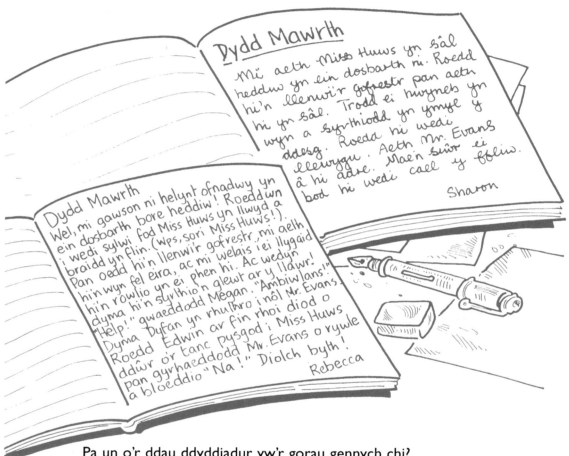

Dydd Mawrth

Mi aeth Miss Huws yn sâl heddiw yn ein dosbarth ni. Roedd hi'n llenwi'r gofrestr pan aeth hi yn sâl. Trodd ei hwyneb yn wyn a syrthiodd yn ymyl y ddesg. Roedd hi wedi llewygu. Aeth Mr. Evans â hi adre. Mae'n siŵr ei bod hi wedi cael y ffliw.

Sharon

Dydd Mawrth

Wel, mi gawson ni helynt ofnadwy yn ein dosbarth bore heddiw! Roeddwn i wedi sylwi fod Miss Huws yn llwyd a braidd yn flin. (Wps, sori Miss Huws!). Pan oedd hi'n llenwi'r gofrestr, mi aeth hi'n wyn fel eira, ac mi welais i ei llygaid hi'n rowlio yn ei phen hi. Ac wedyn dyma hi'n syrthio'n glewt ar y llawr! "Help!" gwaeddodd Megan. "Ambiwlans!" Dyma Dyfan yn rhuthro i nôl Mr. Evans. Roedd Edwin ar fin rhoi diod o ddŵr o'r tanc pysgod i Miss Huws pan gyrhaeddodd Mr. Evans o rywle a bloeddio "Na!" Diolch byth!

Rebecca

Pa un o'r ddau ddyddiadur yw'r gorau gennych chi?
Pam rydych chi'n hoffi un yn fwy na'r llall?
Dewiswch eich hoff ran o'r dyddiaduron – gair neu frawddeg neu ddisgrifiad.

EWCH ATI!
Rhowch gynnig ar ysgrifennu dyddiadur. Ysgrifennwch am 'Ddoe'.

Gwnewch nodiadau bras cyn dechrau ysgrifennu.

Wnaethoch chi ddeffro'n gynnar neu gysgu'n hwyr?
Beth gawsoch chi i frecwast?

Sut aethoch chi i'r ysgol? Yn y car? Ar y bws? Cerdded?
Beth oedd y gwersi? Gyda phwy y buoch chi'n chwarae?
Beth gawsoch chi i ginio? Ddigwyddodd rhywbeth arbennig yn yr ysgol?
Rhywbeth doniol? Damwain?

Beth wnaethoch chi ar ôl cyrraedd adref? Fuoch chi'n chwarae?
Gawsoch chi ffrae gyda rhywun? Beth oedd ar y teledu? Eich hoff raglen?
Oedd gan rywun newyddion? Sut aeth hi amser gwely?

Ceisiwch wneud eich dyddiadur mor ddiddorol ag sy'n bosibl.

Rhowch fanylion am bobl a lleoedd a phethau.

Cofiwch gynnwys dipyn o sgwrs ddifyr.

Mae dydd Sadwrn yn ddiwrnod ardderchog i ysgrifennu amdano mewn dyddiadur.

Beth fyddwch chi'n wneud ar ddydd Sadwrn?
Nofio? Siopa? Chwarae pêl-droed? Cysgu'n hwyr? Carthu cwt y gwningen? Darllen?
Dyma bytiau o ddyddiadur dydd Sadwrn Siôn a Hayley:

Pnawn dydd Sadwrn fe es i wylio gêm rygbi gyda Dad a Tad-cu. O'dd bechgyn ni'n whare'n erbyn tîm o Ddolgelle. Faeddon ni nhw, wrth gwrs! Fe sgoriodd Malcolm Davies a Brynmor Harris bob o ddou gais. Ac fe gafodd Wil ni gôl adlam. Waeddes i 'Bril, Wil!' dros y lle. Er o'dd hi'n oer. Ges i fenthyg mwffler 'da Tad-cu.

Siôn

Pan oeddwn i'n bwyta Coco Pops ac yn gwylio *Aladdin* am y naw deg seithfed tro, dyma'r ffôn yn canu. Nain Wern oedd yna. Roedd ei llais hi'n rhyfedd. Roedd Fflwff (y bwji) wedi marw yn ei gaets yn ystod y nos. Ar ôl cinio fe wnaethom ni'i gladdu o dan y coed rhosod. I de, fe gawsom ni grempog i godi calon Nain. Er fy mod i'n drist wrth feddwl am Fflwffyn fwytes i bump crempog.

Hayley

HWN A HWN O'R FAN A'R FAN
Enwau Pobl a Lleoedd

Enwau Pobl

Rydym yn rhoi priflythyren ar ddechrau enwau pobl.

1 Copïwch yr enwau hyn gan roi priflythyren ar ddechrau pob un:

2 Rhowch gynnig arni eto. Ydy'r un enw ag enw cymydog neu ffrind i chi i'w weld yma?

mrs davies **elin** **dewyrth huw** **liam** **wil wirion**

mot **anti meleri** **titw**

arianwen **modryb siân** **mr williams**

3 Dewiswch enwau i'r cymeriadau hyn, a'u hysgrifennu o dan lungopi o'r lluniau yn eich llyfrau gwaith.

44

Enwau Lleoedd

Rydym yn rhoi priflythyren ar ddechrau enwau lleoedd.

4 Edrychwch ar y map.

Nawr llenwch y bylchau.

Yn eich atebion, rhowch briflythyren yn gyntaf, ac yna lythrennau bach.

(er enghraifft, Abertawe / Cymru)

- Ysgrifennwch enwau'r trefi sydd yng **Ngogledd Cymru** ar y map.

Roedd pum tref! Gawsoch chi nhw i gyd?

- Ysgrifennwch enwau'r trefi sydd yng **Nghanolbarth Cymru** ar y map.

------------------   ------------------   ------------------   Roedd tair tref! Gawsoch chi'r tair?

- Ysgrifennwch enwau'r trefi sydd yng **Ne Cymru** ar y map.

------------------   ------------------   ------------------   ------------------   ------------------

------------------   ------------------   Gawsoch chi nhw i gyd?

5 Fy nghartref

Edrychwch ar y map o Gymru. Ydy'r dref ble'r ydych yn byw wedi'i nodi?
Gwnewch fap gyda chymorth eich athrawes yn dangos ble'r ydych yn byw.
Dangoswch y dref fawr agosaf. Dangoswch unrhyw bentref cyfagos.

Dyma'r map a wnaeth Gwenllian Lewis.

6 Mae enw ar goll ym mhob un o'r hwiangerddi hyn.

Dafi Bach a minnau
Yn mynd i ....
Dafi'n 'mofyn ceiliog
A minnau'n 'mofyn iâr.

Hen wraig fach â basged o wye
O .... i ....
Ar y bont ar bwys ....
Fe gwympodd y fasged
A lawr aeth y wye.

'Fuest ti 'rioed yn morio?'
'Wel do, mewn padell ffrio;
Chwythodd y gwynt fi i ....
A dyna lle bûm i'n crïo.'

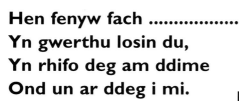

Hen fenyw fach ....
Yn gwerthu losin du,
Yn rhifo deg am ddime
Ond un ar ddeg i mi.

Bachgen bach o ....
Welodd o 'rioed damaid o gig;
Gwelodd falwen ar y bwrdd,
Cipiodd ei gap a rhedodd i ffwrdd.

EWCH ATI!
Copïwch yr hwiangerddi yn eich llyfrau. Rhowch yr enw lle
cywir yn y bwlch.

TEISEN FLASUS
Disgrifio a Pherswadio

Glwmp y gofodwr yw hwn. Ef yw prif bobydd Cegin y
Cosmos ar y llong ofod Balciws.
Mae Glwmp yn gwybod popeth am gacennau.
Darllenwch ei ddisgrifiadau o'i hoff gacennau.
A pheidiwch â llyfu'r tudalen!

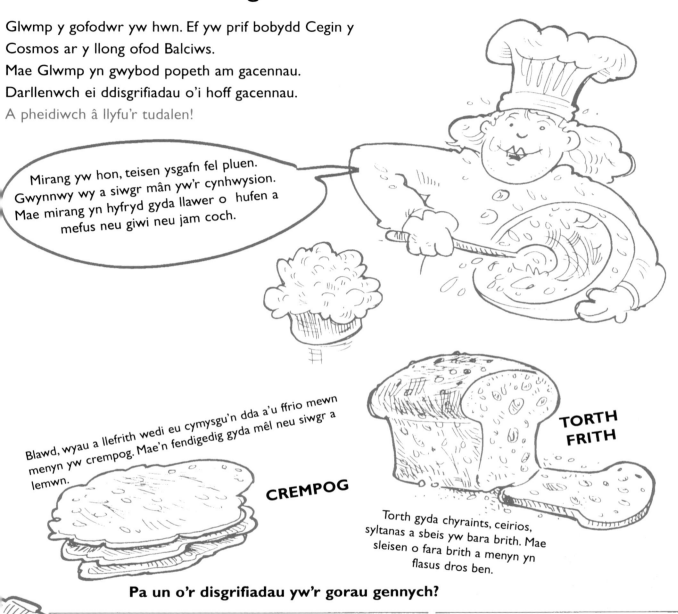

Mirang yw hon, teisen ysgafn fel pluen.
Gwynnwy wy a siwgr mân yw'r cynhwysion.
Mae mirang yn hyfryd gyda llawer o hufen a
mefus neu giwi neu jam coch.

Blawd, wyau a llefrith wedi eu cymysgu'n dda a'u ffrio mewn
menyn yw crempog. Mae'n fendigedig gyda mêl neu siwgr a
lemwn.

CREMPOG

**TORTH
FRITH**

Torth gyda chyraints, ceirios,
syltanas a sbeis yw bara brith. Mae
sleisen o fara brith a menyn yn
flasus dros ben.

Pa un o'r disgrifiadau yw'r gorau gennych?

EWCH ATI!
Oes gennych **chi** hoff deisen?
Porwch mewn llyfr coginio neu hen gylchgronau cyn dewis.

Cofiwch sylwi beth yw'r
cynhwysion!

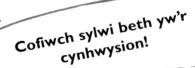

Ysgrifennwch ddisgrifiad byr o'r deisen i dynnu
dŵr o ddannedd eich ffrindiau.
Disgrifiwch ei lliw a'i blas a'i haroglau.
Gwnewch lun deniadol o'r deisen a'i roi gyferbyn
â'r disgrifiad.

Perswadio Glwmp i Golli Pwysau

Mae Glwmp braidd yn **rhy** hoff o fwyta'i gacennau ei hun. Mae wedi mynd yn rhy dew, ac mae Doctor Deinamo wedi rhoi gorchymyn iddo golli pwysau.

Gwnaeth Doctor Deinamo restr o ymarferion corff a fyddai'n lles i Glwmp.

Nawr mae angen help i orffen y daflen.

EWCH ATI!

Taflen Ymarfer Corff Glwmp

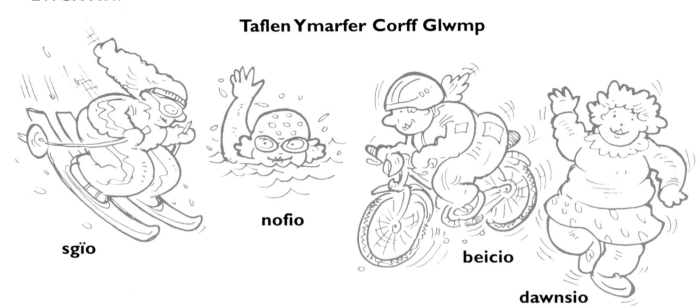

sgïo

nofio

beicio

dawnsio

Ysgrifennwch ddisgrifiad byr, da o bob un o'r ymarferion hyn. Cofiwch mai'r nod yw perswadio Glwmp i roi cynnig arnynt.

Wrth ymyl pob disgrifiad, gwnewch lun o Glwmp yn mwynhau'r ymarfer.

PEIDIWCH ag ysgrifennu gormod, neu bydd Glwmp wedi colli diddordeb ac wedi mynd i chwilio am ddônyt! Dyma enghraifft:

Gallwch ddawnsio gwerin neu ddawnsio disgo neu balé neu tap.

Gallwch wisgo twtw fel balerina.
Mae dawnsio'n grêt o hwyl!

DYDDIAU'R WYTHNOS A'R MISOEDD
Rhagor am Enwau

Rydym yn rhoi priflythyren ar ddechrau dyddiau'r wythnos.

1 Siaradwch am drefn yr wythnos yn yr ysgol a gartref.

Pa ddiwrnod y byddwch yn cael gwers ymarfer corff?
Pa ddiwrnod y byddwch yn cael gwasanaeth yn yr ysgol?
Fyddwch chi'n cael gwers biano neu ddawnsio neu rygbi?
Fyddwch chi'n mynd i'r Urdd neu'r Sgowtiaid neu'r Brownies?
Fyddwch chi'n mynd i'r Ysgol Sul?

Pa un yw eich hoff ddiwrnod? Pam?
Pa un yw eich cas ddiwrnod? Pam?

2 Anghofiodd rhywun roi priflythyren yn nyddiau'r wythnos yn y pennill hwn. Copïwch y pennill yn eich llyfrau.

Dydd llun, dydd mawrth, dydd mercher,
Y bûm yn gwario f'amser.
Wyddwn i ddim fy mod i ar fai,
Wyddwn i ddim fy mod i ar fai,
Nes daeth dydd iau, dydd gwener.

Rhowch briflythyren ar gyfer pob dydd o'r wythnos.

Rydym yn rhoi priflythyren ar ddechrau enwau'r misoedd

Dyma nhw:

3 Atebwch y cwestiynau.

Ym mha fis rydych yn cael eich pen blwydd?

Ym mha fis mae eich ffrind gorau yn cael ei ben blwydd?

Ym mha fis mae eich athrawes yn cael ei phen blwydd?

Nawr gwnewch graff bloc i ddangos faint o blant yn eich dosbarth sy'n cael eu pen blwydd ym mhob mis.
Cofiwch roi priflythyren ar ddechrau enw pob mis.

Dyma graff dosbarth Blwyddyn 4 Ysgol Gynradd Chwilog:

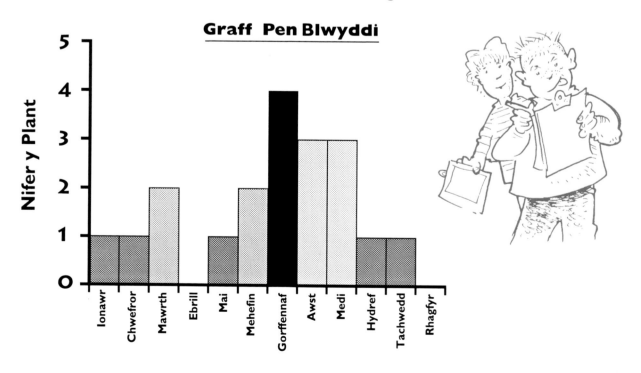

Dyma stori. Copïwch hi yn eich llyfrau gan roi **priflythyren** ar ddechrau enwau pobl (a phlant!) a'r misoedd.

Roedd plant dosbarth miss llwyd wedi bod yn gwneud graff pen blwyddi. Dim ond un pen blwydd oedd ar ôl.
"Pryd ydych chi'n cael eich pen blwydd 'te, miss?" holodd dafydd yn fusnes i gyd.
"Cyfrinach," atebodd miss llwyd gan wenu.
"O, wy'n gwybod!" llefodd siân mair, "ym mis mai, 'run fath â fi."
"Nage," mynnodd ifan prys, "ym mis hydref. Y mis gore, 'te miss?"
Dechreuodd y plant weiddi'n un côr: "Mis ionawr! Mis rhagfyr! Mis mawrth!"
Ond dal i ysgwyd ei phen a wnaeth miss llwyd.
Toc, dywedodd alun, yn dawel: "Dim ond un mis sydd ar ôl. Mis chwefror."
A dyna pawb yn dechrau cyfrif: "Cyntaf o chwefror, ail, trydydd, pedwerydd . . ."
Ond dal i ysgwyd ei phen a wnaeth miss llwyd drwy'r mis cyfan ar ei hyd.

Allwch **chi** ddyfalu beth oedd dyddiad ei phen blwydd?
Roedd 21 o briflythrennau i fod. Gawsoch chi'r cyfan ohonynt?

Beth am ddarllen Telynegion y Misoedd gan Eifion Wyn?

OFN

Craffu ar Gerdd

Mae arna i ofn.

Ofn bwgan yn y nos,
Ofn ci sy'n cyfarth
Ofn syrthio i mewn i'r ffos;
Ofn methu cyrraedd
Yr ysgol erbyn naw,
Ofn cael fy nal
Heb gôt yng nghanol glaw.

Mae arna i ofn
Y storm sy'n rhuthro'n gry',
Ofn mellt a th'ranau,
Ofn cymylau du.

Mae arna i ofn
Cael cosb am lyncu mul,
Ofn bod yn sâl
Ar ddydd trip Ysgol Sul;
Ofn doctor, ofn y deintydd,
Ofn syrthio i'r afon ddofn;
    Hen fabi ydw i'n tê?
    Mae arna i ofn!

Selwyn Griffith

Darllenwch y gerdd.

Dyn a ysgrifennodd y gerdd hon. Ond yma mae'n siarad fel plentyn.
Ydy e'n cofio sut brofiad ydy bod yn blentyn?

Mae'r bardd yn dweud: 'hen fabi ydw i'n tê?'
Ydych **chi'n** meddwl ei fod e'n fabi?

Yn 'Ofn' mae sôn am 'ofn bwgan yn y nos', 'ofn cael cosb am lyncu mul' ac 'ofn deintydd'.

Ydy pob ofn yr un fath?

Oes 'na wahanol raddau o ofn – ofn bychan, ofn canolig ac ofn mawr?

Smaliwch fod un pennill yn y gerdd wedi mynd ar goll!
Ysgrifennwch bennill eich hun.
Gallwch ddechrau pob llinell gyda'r gair:

'Ofn...'

Does dim rhaid i chi odli! Iawn?

MARACAS!

Cyfarwyddiadau

Offerynnau taro yw maracas. Cânt eu defnyddio'n aml mewn cerddoriaeth *rwmba* neu *samba*.

Mae maracas yn gwneud math arbennig o sŵn hisian, tebyg i donnau'n torri ar gerrig mân.

Mae maracas yn eithaf hawdd i'w gwneud yn y dosbarth.

Dyma'r pethau sydd eu hangen i wneud maracas:

Cynwysyddion

potiau iogwrt gwag, caniau pop gwag,
bocs bach pren neu gardfwrdd,
poteli gwydr (gofal!),
tuniau metel (e.e. hen dun sigârs),
poteli hylif golchi llestri,
gograu/hidlau (mawr neu fach)

Cynhwysion

tywod	siwgr
lentiliau	reis
sgriwiau	clipiau papur
graean	hen fotymau
dŵr	cyrc

Addurniadau

paent	farnais
glud	tâp gludo
rubanau amryliw	papur sidan/papur cryf

O! NA!

Mae'r cyfarwyddiadau sy'n dangos sut i wneud maracas ar goll!

Rhannwch yn barau ac ewch ati i gynllunio sut i wneud maracas.

Defnyddiwch un CYNHWYSYDD, un o'r CYNHWYSION a'r ADDURNIADAU

Trafodwch gyda'ch partner. Yna gwnewch nodiadau a lluniau bras cyn dechrau.

Disgrifiwch y broses o wneud maracas yn fanwl, gam wrth gam.

> Dilynwch batrwm tebyg i hwn:
>
> I ddechrau ....
> Wedyn ....
> Ar ôl gwneud hyn fe ....
> Wedyn....
> Yn olaf ......

Dilynwch y patrwm ymlaen. Rhowch linell newydd a brawddeg newydd i bob cam.

Gwnewch lun i'w roi gyferbyn â phob cam o'r broses.

Ydy'ch maracas yn gwneud sŵn hisian fel graean ar draeth? Grêt!

Ar ôl i chi orffen gallwch gael band maracas yn y dosbarth!

Gofynnwch i'ch athrawes geisio cerddoriaeth **samba** neu **rwmba** o Dde America i'w chwarae i chi!

YR EBYCHNOD!
Peth Fel Hyn yw Ebychnod!

Defnyddiwn **ebychnod** pan fydd rhywun yn dweud rhywbeth **doniol**:

Cwestiwn: Beth ddywedodd yr eliffantod wrth
y llygod wrth fynd i mewn i'r arch?
Ateb: Peidiwch â gwthio!

Defnyddiwn **ebychnod** pan fydd rhywun yn **gweiddi**:

**Beca!
Mae Michael Jackson ar y ffôn!**

**Ond 'dwi ddim wedi cribo fy
ngwallt!**

Defnyddiwn **ebychnod** pan fydd rhywun yn dweud rhywbeth **annisgwyl**:

Trysor! Rydyn ni'n gyfoethog!

| Gwnewch lun o blant ar y traeth. Mae pob un ohonynt yn **gweiddi**.
Defnyddiwch swigod siarad. Ysgrifennwch yn fân ac yn daclus.

2 Llungopïwch y jôcs hyn. Rhowch ebychnod i mewn pan fo rhywun yn
dweud rhywbeth **doniol**.

**Sut wyt ti'n cael pedwar eliffant i
mewn i gar Mini?**

Dau yn y blaen a dau yn y tu ôl

Darllenwch y stori. Defnyddiwch ebychnod pan fo rhywun yn
dweud rhywbeth **doniol,** neu'n dweud rhywbeth **annisgwyl**, neu'n **gweiddi**.

Defnyddiwch atalnod llawn ⊙ neu goma ⊙ ym mhobman arall.

Darllen y papur yr oedd Dad pan ddaeth Rhian adref o'i hantur
Gwisgai gôt a het a menig
"Helo, cariad" meddai Dad. "Ti'n edrych yn oer"
"Wedi bod ym Mhegwn y Gogledd " meddai Rhian. "Trip gwych "
"Lle od am drip " meddai Dad. "Gest ti rywbeth yno?"
"Do, pengwin " atebodd Rhian.
"Pengwin " gwaeddodd Dad gan ollwng ei bapur. "Lle mae o?"
"Yn y bag yma " meddai Rhian. "Dyma fo, ylwch "
"Elli di ddim dod â phengwin i'r tŷ " sgrechiodd Dad.
"Mi gaiff fyw yn y stafell molchi " meddai Rhian. "Mae'n ddigon oer yno "
"O'r gore " gwaeddodd Dad. "Rwy'n ildio. Fe gawn ni wres canolog "
"Grêt " gwenodd Rhian gan gychwyn allan eto.
"Lle ti'n mynd rŵan eto?" holodd Dad. "Mae'n ddeg o'r
gloch"
"I Begwn y Gogledd, siŵr iawn " atebodd Rhian. "Rhaid
danfon Igw adre Mae o wedi gwneud diwrnod da o
waith "
"Tyrd yn ôl yr eiliad yma " bloeddiodd Dad. "Yr eiliad yma "
Ond roedd Rhian ac Igw'r pengwin wedi codi i'r awyr yn barod, ac yn hedfan tua'r Gogledd
pell.

STORÏAU MEWN LLUNIAU
Storïau Stribed Cartŵn

Edrychwch ar y stori yn y fframiau.

Defnyddiwch swigod i wneud i'r cymeriadau siarad.

Cofiwch roi gofynnod (marc cwestiwn) ? os bydd rhywun yn gofyn cwestiwn.
Rhowch ebychnod ! os bydd rhywun wedi cael braw neu syndod, neu ddweud rhywbeth doniol.

Dyma bedwar llun. Rhowch y geiriau yng nghegau'r cymeriadau.

Nawr rhowch gynnig ar adrodd stori gyfan trwy gyfrwng lluniau.

Gwnewch i'r cymeriadau siarad trwy ddefnyddio swigod geiriau.

Ceisiwch wneud i'r sgwrs swnio'n naturiol a chredadwy.

MUNUD I'W SBARIO?

Gallwch ddod o hyd i storïau stribed cartŵn mewn hen gomigs. Dim ond peintio dros y geiriau sydd eisiau, ac wedyn fe gewch ddigon o ymarfer gwaith swigod siarad!

Meddyliwch am stori gyfarwydd, Hugan Fach Goch, neu'r Tri Mochyn Bach neu Elen Benfelen.
Cydweithiwch gyda phartner i droi'r stori'n stribed cartŵn!

Gallwch ddefnyddio mwy na chwe ffrâm.

MI ANFONAIS BWT O LYTHYR.....

Llythyr at Awdur

Mae pawb yn hoffi derbyn llythyr.

Dyma dri llythyr a anfonwyd gan blant at eu hoff awduron.

Ysgol Twm ôr nant
Dinbych
Clwyd
LL16 3DP
Hydref 10

Annwyl Mrs Mair Wynn Hughes

Mi unes i fwynhau gwrando arnoch heddiw. Rydw i yn mwynhau darllen eich llyfrau ac rydw i yn edrych mlaen i ddarllen mwy o'ch llyfrau. Rydw in meddwl eich bod yn cael syniadau da iawn. Ydach chi'n mynd i sgwennu myy o lyfrau eto? Yr awduron gorau yn y byd ych chi ac Emily Huws.

oddiwrth
Sarah
Leeane
Davies
xxx
xxx

Dôl Felin
Lôn ddwr
Llan Llyfni
'n Gwynedd.

Annwyl Mr Jones,
Rydw i'n hoff iawn o'ch stori "Trysor y môr Ladron". Ar hyn o bryd Rydw i wrthi yn ei ddarllen Am y Peôwerydd Tro.
Un peth dydwi ddim yn siwr ohonu. A oedd Harri Morgan yn ddyn da? Ta waeth rydw in mwynhau'r llyfr yn Fawr
Dafydd Gerallt Jones yw fy enw llawn ac rydw i'n 7 oed.
cofion goran
Deio Jones

Beth sy'n gwneud y rhain yn llythyrau da?
Pam y byddai'r awduron yn teimlo'n hapus ar ôl eu darllen?

?

Ysgol Llangelynnin,
Henryd,
Conwy,
Gwynedd.
11\2\94

Annwyl Angharad Tomos,
Diolch yn fawr am ddod i'r ysgol i ddangos sut roeddech chi wedi dechrau sgwennu storiau Rala Rwdins. Roedd pawb wedi mwynhau gwrando. Gobeithio y cewch lwc hefo eich stori nesaf,
Oddi wrth DavidBullock
Sion Murtha a phawb yn Ysgol Llangelynnin.

EWCH ATI!

Ewch ati i ysgrifennu llythyr at eich hoff awdur plant. Gwnewch eich gorau glas i ysgrifennu'n daclus ac yn gywir.

Soniwch am hoff ddigwyddiadau neu gymeriad!

Cofiwch ddweud pa un yw eich hoff lyfr!

60

Oes Gennych Chi Gwestiwn?

Oes gan yr awdur lyfr newydd sbon ar y gweill?

Sut mae'r awdur yn cael syniadau?

Ydy'r awdur yn cael problem gyda stori weithiau?

Ydy'r awdur yn ysgrifennu mwy nag un drafft o stori?

Oes gan yr awdur hoff le neu amser i ysgrifennu?

Allwch chi feddwl am ragor o gwestiynau?

Daliwch Arni!

Cofiwch gyfarch yr awdur yn glên ac yn barchus.
Galwch yr awdur yn **'chi'**.

Shwt y'ch **chi**, Siân Lewis?
Sut ydych **chi**, John Hywyn?

PWYSIG! PWYSIG! PWYSIG!

Mae rhai awduron llyfrau plant, fel Elizabeth Watkin Jones ac Irma Chilton, wedi marw, gwaetha'r modd.
Gwnewch yn siŵr fod yr awdur a ddewiswch ar dir y byw cyn i chi anfon llythyr ato.

MUNUD I'W SBARIO?

Ysgrifennwch lythyr cwrtais i wahodd awdur i ddod i'r ysgol i siarad gyda'ch dosbarth.

Gallwch wahodd awdur lleol sy'n byw gerllaw, neu awdur yr ydych wedi bod yn darllen ei waith.

DYMA SUT UN YW ...
Ansoddeiriau/Geiriau Disgrifio

Meddyliwch am eich ffrind gorau.
Nawr edrychwch ar y casgliad hwn o eiriau disgrifio (ansoddeiriau).
Tanlinellwch y rhai sy'n disgrifio eich ffrind yn dda.

annwyl	grêt	twt	chwit-chwat	hwyliog
bachog	gwirion	di-drefn	trwsgl	cwerylgar
siaradus	sionc	siriol	poblogaidd	ffyddlon
hoffus	gweithgar	cerddorol	ffyrnig	caredig
anturus	brwd	aflonydd	teg	cyfrinachol
hurt	od	doniol	hen ffasiwn	ciwt
nerfus	diddorol	tindrwm	tenau	boliog
golygus	parchus	sarrug	afresymol	penderfynol

Copïwch yr ansoddeiriau o'ch dewis gyferbyn â llun o'ch ffrind.
Oes yma ddigon o ansoddeiriau i greu cerdd, tybed?

Edrychwch ar y lluniau hyn. Yna dewiswch yr ansoddeiriau mwyaf addas o'r casgliad isod i ddisgrifio pob un ohonynt.

môr-leidr	tŷ	tywysoges	tsiwawa

creulon	cas	milain	barus	meddw	cecrus
hardd	tlws	dymunol	addfwyn	pwysig	urddasol
cyfforddus	clyd	mawr	eang	moethus	newydd
cyrliog	iaplyd	swnllyd	chweinllyd	segur	ffyddlon

Mynnwch gopi o'r *Geiriadur Mawr* neu *Geiriadur Gomer i'r Ifanc*. Rhannwch yn grwpiau o ddau neu dri.

Sylwch mai **a.** yw'r arwydd i ddangos fod gair yn ansoddair. Nawr ewch drwy'r geiriadur gan chwilio am 2/3 ansoddair yn dechrau gyda phob llythyren. Dewiswch rai cyfarwydd. Rhestrwch hwy wrth fynd yn eich blaen.

Gawsoch chi ansoddair yn dechrau gyda 'th' ac 'w' ac 'y'?

Nawr chwaraewch gêm o BINGO ANSODDEIRIAU!
Bydd yr athro neu'r athrawes yn galw ansoddeiriau.
Y grŵp cyntaf i gael PUMP o'r ansoddeiriau a elwir gan yr athro sy'n ennill!

SBOTIWCH YR ANSODDAIR!

Darllenwch y darn isod. Yna tanlinellwch bob ansoddair.

Hen ŵr bach rhyfedd ydi Mistar Medra. Mae'n gwisgo trywsus streip a gwasgod biws, mae'i wallt yn goch a'i farf yn hir, hir, ac mae ganddo het galed ar ei ben. Mae Mistar Medra'n byw mewn bwthyn bach yn y wlad gyda Betsan, y gath ddu a gwyn.

Un bore dydd Llun roedd Mistar Medra a Betsan yn bwyta'u brecwast wrth y bwrdd crwn yn y gegin ac yn darllen y papur newydd gyda'i gilydd.

Roedd hysbyseb mewn llythrennau bras ar y dudalen flaen. Darllenodd ef yn uchel.

CYSTADLEUAETH Y FRESYCHEN FWYAF, GWOBR - PUNT NEWYDD SBON.

"Wel, wel," meddai Mistar Medra'n hapus. "Mi fydda i'n tyfu bresych mawr bob amser, Betsan. 'Sgwn i fedra i ennill y wobr?"

Roedd 18 o ansoddeiriau yn y darn.
Gawsoch chi nhw i gyd?
Ewch yn ôl i chwilio eto, os ydych yn brin.

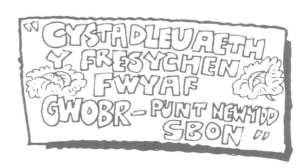

Llunio Hysbysebion

Mae mam-gu Aron a Medi wedi bod yn eu tŷ hwy ar wyliau. Bu'n brysur yn clirio eu hystafelloedd a chasglodd ynghyd nifer o bethau i'w gwerthu'n ail-law. Dyma nhw:

stereo personol (angen ei drwsio)

tomen enfawr o'r comigs
Sboncyn a *Penbwl*

tedi mawr, blewog, **Albyrt**

pedwar jig-so

menig bocsio

ci batri ar dennyn

til siop

dillad Batman

Mae Aron a Medi'n benderfynol nad ydynt am werthu **dim un** o'r pethau hyn.

O'r diwedd mae Mam-gu'n taro bargen. Cânt gadw eu hanner.

Gweithiwch fesul dau – bachgen a merch.

Trafodwch gyda'ch partner pa **bedwar** peth rydych am eu cadw.

Nawr, ewch ati i lunio hysbyseb ar gyfer y **pedwar** peth sydd ar ôl. Hysbyseb i'w osod yn ffenest y siop leol ydyw.

32 CYLCH Y LLAN
CEI NEWYDD
DYFED
BD4 7SE

Awst 15. 1996.

Annwyl Mam-gu,
Gobeithio y cawsoch chi siwrnai dda adref. Rydyn ni'n dau wedi bod yn trafod gyda'n gilydd.....
Llawer o gariad/cofion gorau
Aron a Medi
xxx

Cyn dechrau, trafodwch gyda'ch gilydd beth sy'n gwneud hysbyseb dda.

Ystyriwch y pethau hyn:
gonestrwydd y gwerthwr;
pris yr eitem sy'n cael ei werthu;
y disgrifiad o'r pethau sydd ar werth;
diwyg yr hysbyseb.

Craffwch ar yr hysbysebion hyn cyn dechrau:

AR WERTH
Set *Action-Man* mewn cyflwr gwych. Pris: £15
Doli fel newydd 'Angel' (yn gallu crïo a gwlychu)
Pris: £10
Ffoniwch: Rhyd-y-Bryn 654321 ar ôl 6:00pm

Ar Werth
Menig garddio (maint mawr) £3.00
Berfa hwylus (angen olwyn newydd) - pris i'w drafod
Holwch yn y siop.

Yn Eisiau
Sglefrfwrdd mewn cyflwr da.
Esgidiau olwyn Fisher-Price (maint 2-4).
Dwy helmed (i bennau bach)
Siân a Gareth, Glan-ffrwd, Rhydyfelin

AR WERTH
Amrywiaeth o gemau Sega a Nintendo - prisiau amrywiol
Gorchudd cwilt a chobennydd Tomos y Tanc - (fel newydd)
£10
Ffôn: (0146) 230231

Cofiwch y bydd yn rhaid i'r hysbyseb fod yn daclus a'r ysgrifen yn ddealladwy.

A fyddai'n syniad da teipio'r hysbyseb ar gyfrifiadur y dosbarth?

Ar ôl llunio'r hysbyseb uchod ewch ati i wneud eich hysbysebion eich hunain.

Dyma rai syniadau:
Hysbyseb ddeniadol (gyda llun) i werthu ci neu gath fach, neu gwningen;
Hysbyseb (gyda llun) i werthu offeryn cerdd;
Hysbyseb yn holi am rywbeth y mae arnoch ei eisiau: YN EISIAU
Hysbyseb i werthu rhywbeth sy'n perthyn i aelod arall o'ch teulu.

SIOP SIARAD
Deialog

Mae'n bosibl dweud stori trwy gyfrwng stribed cartŵn.
Dyma stori felly i chi:

Fe allech chi ysgrifennu'r stori hon ar ffurf drama.

Dyma sut mae gwneud:

Y Cynllunydd Gwallt

Cymeriadau: Iwan, Siân, Mami

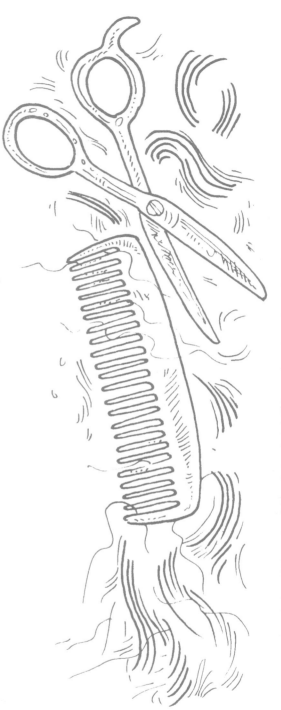

<u>Iwan</u>	Beth am whare siop trin gwallt?
<u>Siân</u>	Ti'n credu y dylen ni? O, pam lai!
<u>Iwan</u>	Dim ond trim bach, wy'n addo.
<u>Siân</u>	Bydd yn ofalus 'da'r siswrn 'na, Iwan!
<u>Iwan</u>	Erbyn gweld, wy'n credu bydde fe'n siwto ti'n fyr, Siân.
<u>Siân</u>	O na! Beth ti wedi neud, y twpsyn!
<u>Iwan</u>	Af i i nôl pren mesur, ife?
<u>Siân</u>	Dere â'r siswrn 'na i fi. Glou!
<u>Iwan</u>	O na! Mae Mami gartre!
<u>Siân</u>	Wy byth byth BYTH yn mynd i fadde i ti am hyn!
<u>Mami</u>	Beth yn byd sy'n mynd 'mlaen...?
<u>Siân</u>	Tro Iwan yw hi nawr!
<u>Iwan</u>	Help!

Sylwch fod rhestr o'r cymeriadau ar y dechrau.

Mae llinell newydd bob tro mae rhywun yn siarad.

Mae llinell dan enw'r cymeriad sy'n siarad.

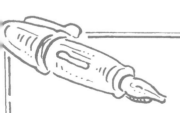

EWCH ATI!

Ysgrifennwch ddrama am ddau o blant sy'n penderfynu mynd ati eu hunain i wneud rhywbeth.

Dyma rai syniadau:
1. Gwneud *gateaux* siocled ar gyfer pen blwydd Mam.
2. Peintio darlun mewn olew ar gyfer y lolfa.

BETH YW PETH FEL HYN?
Gofyn Cwestiwn

1 Mae'n rhaid cael **gofynnod** (marc cwestiwn) ar ddiwedd cwestiwn.

Mam: Pryd wyt ti am ddechrau byhafio, Morus?
Morus: Fory.

Dyn: Pa un yw mynydd uchaf Cymru?
Merch: Yr Wyddfa.

Gwraig: Faint yw cant tynnu un?
Plentyn: Naw deg a naw!

Arwel: Pwy ddyfeisiodd yr injan stêm?
Geraint: James Watts.

2 Bu Plismon Pedr yn holi lleidr o'r enw Llŷr Llaw Flewog. Copïwch y cwestiynau gan roi'r ateb cywir gyferbyn. Cofiwch roi **gofynnod** ar ôl pob cwestiwn.

Ble roeddech chi neithiwr	Spageti a Jeli
Ble cawsoch chi'r arian hyn	Yn y bath
Be gawsoch chi i swper	Deuddeg a hanner
Beth yw maint eich esgidiau	Yn y banc

3 Dyma gyfres o atebion.
Ysgrifennwch gwestiwn addas o flaen pob ateb.

Cofiwch ddefnyddio **gofynnod**.

> Pero yw fy enw i.
> Rhif 6, Stryd y Parc, Aberystwyth.
> Rwy'n bedair a hanner mlwydd oed.
> Ci defaid ydw i.
> Chwarae pêl a mynd am dro i'r traeth.
> *Pobol Y Cwm* a Threialon Cŵn Defaid.
> Asgwrn mochyn a *Chum*.
> Hoffwn fynd i Disneyland i gwrdd â *Lassie*.

4 Dyma Marichwaerfachlari. Mae newydd fod ar daith ymchwil
i'r gofod, gan alw yn y lleuad ar y ffordd adref.

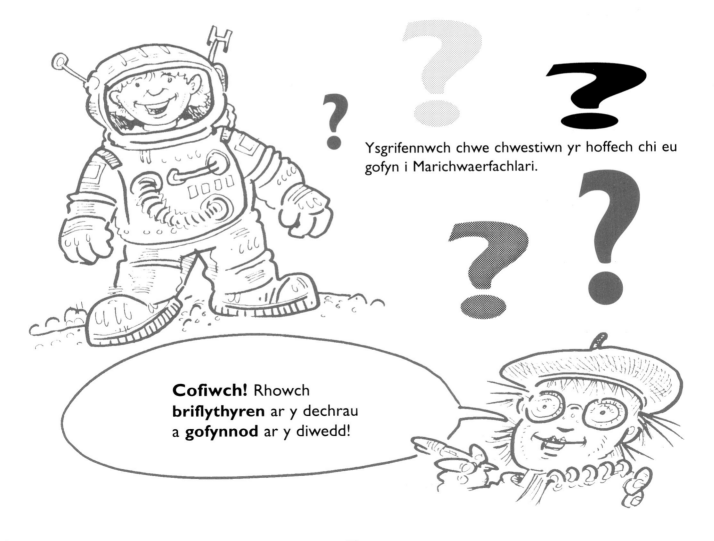

Ysgrifennwch chwe chwestiwn yr hoffech chi eu
gofyn i Marichwaerfachlari.

Cofiwch! Rhowch **briflythyren** ar y dechrau a **gofynnod** ar y diwedd!

BETH AR Y DDAEAR....?
Posau a Dirgelion

Erstalwm byddai teuluoedd yn difyrru'r amser fin nos wrth y tân trwy adrodd storïau a phosau wrth ei gilydd.

Math o ddisgrifiad dirgelaidd yw pôs.
Mae'n rhoi nifer o gliwiau am y peth dan sylw heb ddweud beth ydyw!

Allwch chi ddyfalu beth yw'r pethau hyn?

**Beth yw ffynnon wen lefrith
Yng nghanol cae gwenith?**

**Beth sy'n grwn fel cosyn,
Yn ddu fel y frân,
A llathen o gynffon
A thwll yn ei bla'n?**

**Hen wraig weddw a ddaeth i'n gwlad,
Deuddeg o feibion a'r rheini heb ddim tad,
Rhai yn fyrion, rhai yn hirion,
Rhai yn boethion, rhai yn oerion.**

**Beth sydd yn bod er erioed
Ac nid yw eto ond mis oed?**

RHOWCH GYNNIG ARNI!

Beth am i chi roi cynnig ar wneud pôs?
Gweithiwch gyda phartner.
Ceisiwch feddwl am ffordd wahanol neu annisgwyl o ddisgrifio rhywbeth.
Cofiwch! Does dim rhaid i chi ysgrifennu pennill nac odli.

Gallwch ddilyn y patrwm hwn:

Pôs: Mae gen i ben ac ysgwydd a throed, ond does gen i ddim wyneb na dwylo. Beth ydw i?
Ateb: Mynydd!

Pôs: Mae gen i lygaid mawr a byddaf yn sboncio fan hyn a fan draw. Rwy'n byw ger yr afon. Chefais i erioed gusan gan dywysoges. Beth ydw i?
Ateb: Llyffant!

Dyma rai syniadau am bethau y gallech eu disgrifio mewn ffordd annisgwyl:

MUNUD I'W SBARIO?
Adroddwch eich pôs wrth blant eraill.
Wnaethon nhw ddyfalu beth oedd yn cael ei ddisgrifio?

Posau 'slawer dydd yw jôcs ein dyddiau ni.

Ydych chi'n gwybod am jôcs sy'n dechrau gyda'r geiriau '**Beth sy'n ......?**'

Cwestiwn: Beth sy'n wyrdd ac yn flewog ac yn mynd i fyny ac i lawr?
Ateb: Cwsberan mewn lifft!

Cwestiwn: Beth sy'n llwyd ac yn ysgwyd?
Ateb: Jeliffant!

Pa grŵp all wneud y casgliad mwyaf o
jôcs '**Beth sy'n ....?**'

DDOI DI GEN I?
Dawn Perswadio

Traeth y Pigyn

Ddoi di gen i i Draeth y Pigyn?
Lle mae'r môr yn bwrw'i ewyn?
Ddoi di gen i? Ddoi di gen i?
Ddoi di ddim?

Ddoi di i godi castell tywod
A rhoi cregyn ar ei waelod?
Ddoi di gen i? Ddoi di gen i?
Ddoi di ddim?

Fe gawn yno wylio'r llongau
A chawn redeg ras â'r tonnau,
Ddoi di gen i? Ddoi di?
Ddoi di ddim?

O, mae'n braf ar Draeth y Pigyn
Lle mae'r môr yn bwrw'i ewyn,
Pan fo'r awel ar y creigiau,
Pan fo'r haul ar las y tonnau.
Tyrd gen i i Draeth y Pigyn,
Fe gawn wyliau hapus wedyn,
Ddoi di gen i? Ddoi di gen i?
Gwn y doi!

T. Llew Jones

(gen = gyda/efo yn iaith yr hen sir Aberteifi)

Gwrandewch ar y gerdd yn cael ei hadrodd neu'i darllen i chi.
Caewch eich llygaid a gwrandewch.

Sut liwiau sydd i'r llun y mae'r gerdd yn ei greu yn eich meddwl?

I ba dymor y mae'r gerdd yn perthyn?

Beth yw bwriad y bardd pan mae'n gofyn: 'Ddoi di gen i?' drosodd a throsodd?

Gwrandewch ar linell olaf y gerdd: 'Gwn y doi!' Beth mae'r llinell hon yn ei ddweud wrthym ni?

Meddyliwch am eich hoff weithgaredd yn yr holl fyd crwn.

Ysgrifennwch lythyr yn ceisio perswadio'ch ffrind i ddod i wneud yr hoff weithgaredd gyda chi.

Hei!

Canolbwyntiwch eich gorau glas ar berswadio'ch ffrind.

Disgrifiwch y gweithgaredd mor fyw a deniadol ag y gallwch.

Chwarae pêl-droed? Sglefrio iâ? Mynd i'r ffair neu'r sŵ? Merlota?

Gosodwch eich llythyr allan yn gywir. Rhowch eich cyfeiriad a'r dyddiad ar y brig.

Peidiwch ag anghofio'r CÔD POST!

Tyddyn Difyr
Pentre Plant
Powys
PW12 5RT

21 Mehefin
Annwyl Caradog,

Cofion Gorau / Hwyl Fawr

Beth am wneud llun o'ch hoff weithgaredd i'w roi yn y llythyr?
Meddyliwch yn ofalus am y lliwiau cyn mynd ati.

Pa liwiau sy'n lliwiau hapus?

Yr Wyddor Eto

1 Ysgrifennwch lythrennau'r wyddor mewn llythrennau bychain.
Rhowch gynnig ar ddynwared ysgrifennu italaidd, fel hyn.

> *Mae'r wyddor yn hynod, hynod o bwysig.*
> *Pwysicach na syms a sgrifennu a miwsig!*

2 Dyma bensiliau geiriau.
Mae'r gair sydd o dan y gair cyntaf yn dechrau gyda dwy lythyren olaf y gair cyntaf.
Rhowch gynnig ar lenwi'r pensiliau gwag.

carr-<u>eg</u>
<u>eg</u>-w<u>an</u>
<u>an</u>-obai<u>th</u>
<u>ith</u>-fa<u>en</u>
<u>en</u>-fys

h<u>et</u>

ew-<u>in</u>

MUNUD I'W SBARIO?

Mae llawer iawn o bethau wedi eu rhestru yn nhrefn yr wyddor, er enghraifft llyfrau mewn llyfrgell. Trafodwch gyda'ch athrawes ac yna gwnewch restr o'r pethau a restrir yn nhrefn yr wyddor.
Cofiwch ysgrifennu'r rhestr yn nhrefn yr wyddor!

Gwnewch furlun mawr lliwgar o lythrennau'r wyddor i'w roi'n anrheg i ddosbarth babanod eich ysgol. Dewiswch air addas ar gyfer pob llythyren o'r wyddor, ac yna tynnwch lun o'r peth hwnnw, a'i liwio neu ei beintio'n ddeniadol.

3 Edrychwch ar fap manwl o Gymru.
Gwnewch restr o drefi neu bentrefi
yn cychwyn gyda phob un o
lythrennau'r wyddor.

Gallech ddechrau gydag
ABERYSTWYTH
BOTWNNOG
CAERFFILI.

Nawr meddyliwch am enwau pobl sy'n
dechrau gyda'r un llythyren i fyw ym mhob
tref a phentref yn eich rhestr.
ABERYSTWYTH - ANWEN ABRAHAM
BOTWNNOG - BORIS BORING
CAERFFILI - CADI CADWALADR

Gallwch ddyfeisio enwau a ffugenwau, os mynnwch!

4 Dyma ran o'r Mynegai i'r llyfr *Catalog Llyfrau Plant a Phobl Ifainc.*
Mae teitlau'r llyfrau wedi eu gosod yn nhrefn yr wyddor.

Ci ar Goll, Y (1981), 23
Ci Du, Y (1993), 39
Ci Bach (1992), 12
Cicio Nyth Cacwn (1987), 28
Cinio Mabon (1991), 39
Cinio Ysgol (1987), 39
Cip ar y Goleuni (1990), 24
Cyw o Fri! (1988), 28

> Y dyddiad mewn cromfachau ( ) yw dyddiad
> cyhoeddi'r llyfr.
> Y rhif ar ôl y cromfachau yw rhif y tudalen ble
> ceir manylion y llyfr.

Sylwch!
Os yw 'Y' yn rhan o deitl y llyfr, daw ar y diwedd, ar ôl gweddill y teitl, fel hyn: *Ci Du, Y*

a. Pam mae *Cinio Mabon* o flaen *Cinio Ysgol* ar y rhestr?
b. Pam mae *Cyw o Fri!* ar ôl *Cip ar y Goleuni* ar y rhestr?
c. Mae yna un camgymeriad yn y rhestr hon (nad yw yn y llyfr go-iawn!) Allwch chi ei weld?
ch. Dyfeisiwch deitlau i ddau lyfr newydd i blant, a'r teitl yn dechrau gyda'r llythrennau **Ci**.
Gosodwch eich llyfrau yn y man cywir yn y mynegai.

AMSER HAMDDEN
Holiadur a Gwaith Graff

Beth fyddwch chi'n hoffi'i wneud yn ystod eich amser hamdden?

gwylio'r teledu

carthu cwt y gwningen

darllen

chwarae pêl-droed

nofio

canu yng nghôr yr ysgol

EWCH ATI!

Ewch ati i lunio holiadur i aelodau'r dosbarth er mwyn canfod beth yw eu diddordebau hamdden.

Trafodwch gyda'ch gilydd mewn grwpiau, a gwneud nodiadau bras cyn teipio'r holiadur ar gyfrifiadur y dosbarth.

Dyma esiampl o holiadur. Pwnc yr holiadur hwn yw bwyd.
Gallech ei ddefnyddio'n batrwm ar gyfer eich holiadur chi.

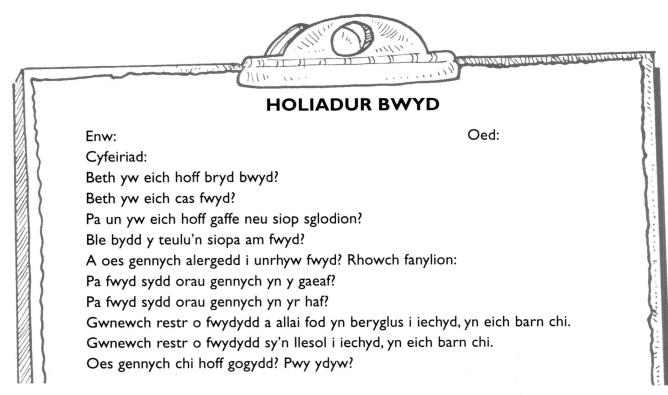

HOLIADUR BWYD

Enw: Oed:

Cyfeiriad:

Beth yw eich hoff bryd bwyd?

Beth yw eich cas fwyd?

Pa un yw eich hoff gaffe neu siop sglodion?

Ble bydd y teulu'n siopa am fwyd?

A oes gennych alergedd i unrhyw fwyd? Rhowch fanylion:

Pa fwyd sydd orau gennych yn y gaeaf?

Pa fwyd sydd orau gennych yn yr haf?

Gwnewch restr o fwydydd a allai fod yn beryglus i iechyd, yn eich barn chi.

Gwnewch restr o fwydydd sy'n llesol i iechyd, yn eich barn chi.

Oes gennych chi hoff gogydd? Pwy ydyw?

Ar ôl i bob aelod o'r dosbarth lenwi'r holiadur, gallwch ddefnyddio'r wybodaeth sydd ynddo.

Gallech wneud graff bloc tebyg i hwn:

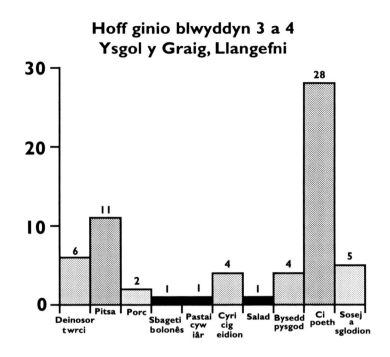

Hoff ginio blwyddyn 3 a 4
Ysgol y Graig, Llangefni

Gallech wneud graff cylch
tebyg i hwn:

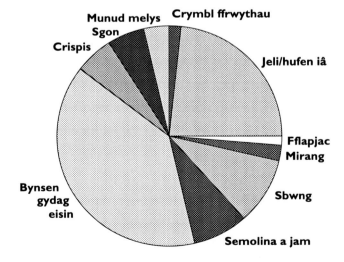

Hoff bwdin blwyddyn 3 a 4
Ysgol y Graig, Llangefni

MUNUD I'W SBARIO?

Gwnewch gasgliad o ffotograffau o blant eich dosbarth yn mwynhau eu hoff ddiddordeb hamdden.

Ysgrifennwch frawddeg neu ddwy o ddisgrifiad neu esboniad i gyd-fynd â phob llun.

DYNA LYFR DA!
Adolygu

Dyma bedwar o adolygiadau gan blant.
Ydych chi wedi darllen y llyfrau hyn?

Ar hyn o bryd rwyf yn darllen llyfr o'r enw Y *Mochyn Defaid*. Dick King-Smith yw awdur y llyfr gwreiddiol, ac Emily Huws sydd wedi ei addasu i'r Gymraeg.

Mae'r *Mochyn Defaid* yn sôn am fochyn bach o'r enw Pwt. Mae'n dilyn y ci defaid Fflei i bob man. Mae cŵn bach Fflei yn gorfod gadael ac wedyn mae Pwt fel ci bach i Fflei.

Os ydych yn hoffi darllen am anifeiliaid, hwn yw y llyfr i chi. Yr wyf i wrth fy modd gydag e.

Meirion Wyn Evans

Fy hoff lyfr i yw *Crenshiau Mêl am Byth* (addasiad Dylan Williams). Fy hoff gymeriad yn y llyfr oedd Cawdel, y ci.

Yn y stori mae Waldo, y bachgen bach, yn dod o hyd i nodyn yn ei becyn crenshiau mêl. 'Dim ond hen damaid o bapur crychlyd,' meddai Waldo. Ond mae'r darn papur yn dechrau antur arbennig i achub Delores a'i thad o ffatri'r crenshiau mêl.

Fel y dywedais, mae hwn yn llyfr arbennig o dda, ac fe ddylai gael ei gyfieithu o gwmpas y byd.

Kevin James

Wmffra gan Emily Huws.

Rwy'n hoffi'r llyfr hwn achos mae'n stori wir, ac mae fel pe bai Wmffra yn dweud y stori. Fy narn gorau yw pan mae Wmffra yn rhoi ei bawen ar law Emily yn y cartref cŵn – mae'n drist ac yn hapus ar yr un pryd. Mae'n drist oherwydd mae Wmffra yn dangos ei fod yn unig, ac yn hapus oherwydd fod Emily yn ei ddewis. Mae Wmffra yn gi caredig, doniol a drygionus.

Mae'r clawr yn dda ac yn eich denu i ddarllen y llyfr. Ar ôl darllen y llyfr, roeddwn i mor bles, fe es i'r siop i'w brynu!

Owain W. Jones

Fy hoff lyfr i yw *Dyfal Donc* gan Rose Impey (addasiad Emily Huws). Stori ydyw am ddwy ferch oedd eisiau ci, ond doedd eu mam a'u tad ddim yn fodlon. Rwy i eisiau ci hefyd, ond dyw Mam a Dad ddim yn fodlon.

Roedd lluniau'r cŵn yn dda, ac ambell un yn ddwl, yn arbennig y rhai pan oedd y merched yn disgrifio sut y bydden nhw'n dysgu ci i wneud pethau fel papuro'r wal, llifio coed, taro hoelion a defnyddio sgriwdreifar!

Roedd y ddwy ferch yn cael ci yn y diwedd, ac rwy'n gobeithio y bydd yr un peth yn digwydd i fi.

Dyma lyfr llawn hwyl. Roedd yn anodd iawn ei roi i lawr ar ôl ei ddechrau.

Marc Lewis

Ydy'r adolygiadau hyn yn codi blys arnoch chi i ddarllen y llyfrau?

Pa un o'r llyfrau hyn fyddai'n apelio atoch chi?

EWCH ATI!

Meddyliwch am lyfr yr ydych wedi ei ddarllen yn ddiweddar.
Dewiswch lyfr stori, **nid** llyfr gwybodaeth.
Dewiswch lyfr y byddai eich ffrindiau yn mwynhau ei ddarllen.

Nawr, gallwch ysgrifennu adolygiad ar y patrwm hwn:

Adolygiad o .... gan ....

        (enw'r llyfr)   (enw'r awdur)

Rwyf newydd orffen/wrthi'n darllen llyfr o'r enw ....

Stori yw hon am ....

         (beth sy'n digwydd?)

Fy hoff gymeriad yn y llyfr oedd ....

         (enw'r cymeriad)

oherwydd roedd ....

   (sut un oedd y cymeriad? doniol, gwirion, annwyl, dewr?)

Fy hoff ddigwyddiad yn y llyfr oedd ....

      (antur? ffrae? cyfrinach? rhywbeth arall?)

Yn fy marn i, roedd hwn yn llyfr ....

      (gwych, ardderchog, da, gwael, gweddol)

Byddai plant tua .... oed yn mwynhau darllen y llyfr hwn.

                        ....

                        eich enw llawn

POSTERI!

Ffordd arall wych o annog plant i ddarllen llyfr yw gwneud **poster** mawr lliwgar yn ei ddarlunio.

Gwnewch gynllun drafft o'ch poster **mewn pensil** i ddechrau.

Ysgrifennwch enw'r llyfr yn fawr ar frig eich poster. Ysgrifennwch enw'r awdur yn daclus ac yn gywir ar y gwaelod.

Gwnewch lun mawr lliwgar yn dangos eich hoff gymeriad neu'ch hoff ddigwyddiad yn y llyfr.

Meddyliwch am frawddeg neu ddwy i annog plant i ddarllen y llyfr.

PWY TYBED...?
Gofyn Cwestiwn

Mae tri chwestiwn yn y rhigwm bach hwn am Siôn Pen Tarw.
Mae cwestiwn yn cael ei ofyn, ac yna'n cael ei ateb.
Anghofiodd yr argraffwr roi'r **gofynnodau** i mewn.
Copïwch y rhigymau yn eich llyfrau gan roi **tri** gofynnod yn y mannau cywir.

Pwy fu farw
Siôn Pen tarw.
Pwy gaiff y gwpan
Siôn Pen Tympan.
Pwy gaiff y llwy
Pobol y plwy'.

Beth am roi cynnig ar benillion ar yr un patrwm?
Gofynnwch y cwestiwn (a chofiwch am y **gofynnod**).

Dyma syniadau i chi.
Mae rhestr o eiriau sy'n odli! Handi!

Pwy gaiff y ci	fi/ti/ni/hi/tri/Neli
Pwy gaiff y procer	groser/tincer/siwmper/pleser
Pwy gaiff y mul	Ysgol Sul/Lôn Gul/helbul
Pwy gaiff y sbarion	athrawon/cariadon/meddygon/gwirion
Pwy gaiff y sebonau	boneddigesau/teidiau/grisiau/toiledau

Allwch chi feddwl am ragor?
Beth am roi cynnig ar wneud rhai gyda
ffrind?

82

Dyma gerdd fach sy'n gofyn y cwestiwn PWY?

Allwch chi ddyfalu am **bwy** neu **beth** y mae hi'n sôn?

Copïwch hi yn eich llyfrau'n gyntaf, gan roi'r **gofynnodau** i mewn. (Mae chwech i fod!)

Yna gwnewch lun o'r peth neu'r person a ddisgrifir yn y gerdd.

Pwy sy'n gallu taro
Saith, wyth, naw
Pwy sy'n berchen bysedd
Heb yr un llaw

Pwy sy'n gallu cerdded
Heb yr un droed
Er nad yw wedi symud
Cam erioed

Pwy sy'n berchen wyneb
Heb yr un dant
Pwy sy'n dweud –
"Mae'n amser mynd i'r gwely"
Wrth y plant

MYGYDAU A BRECHDANAU
Llunio Cyfarwyddiadau

Darllenwch y cyfarwyddiadau hyn sy'n egluro sut i wneud mwgwd.
Gall fod yn fwgwd gwrach neu fwgan neu anghenfil neu anifail.

1. Torrwch ddarn o gardfwrdd digon mawr i guddio'ch wyneb.

2. Gofynnwch i rywun farcio ble mae'ch llygaid, eich
   ceg, a'ch trwyn.

3. Rhowch y cardfwrdd ar fwrdd. Torrwch dyllau ar gyfer
   eich llygaid, eich ceg a'ch trwyn.

4. Addurnwch y mwgwd gyda phinnau ffelt neu baent
   neu greonau.

5. Glynwch ddarnau o wlân gyda glud o amgylch ymyl
   y mwgwd i wneud gwallt.

6. Gwisgwch y mwgwd, ac i ffwrdd â chi i ddychryn eich
   ffrindiau a'ch teulu!

Rhowch gynnig ar ddilyn y cyfarwyddiadau uchod.
Mae **un** peth pwysig ar goll o'r cyfarwyddiadau.
Wnaethoch chi ddarganfod beth oedd wrth ddilyn y cyfarwyddiadau?
Ysgrifennwch y frawddeg sydd ar goll a'i gosod yn y man cywir.

Nawr edrychwch ar y lluniau hyn sy'n dangos sut i wneud brechdan gaws a thomato.

 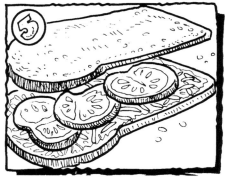 

Ysgrifennwch gyfarwyddiadau i gyd-fynd â'r lluniau uchod.

Bydd angen brawddeg ar gyfer pob cam.
Defnyddiwch **ferf** sy'n gorffen gydag **-wch** (estynnwch, taenwch, torrwch) i egluro pob cam.
Gallwch wneud nodiadau bras cyn ysgrifennu'r cyfarwyddiadau yn eich llawysgrifen orau.

EWCH ATI!
Ewch ati i lunio cyfarwyddiadau eich hunan.
Dyma rai syniadau i chi:

SUT I:
1. Sut i lanhau esgidiau treiners mwdlyd;
2. Sut i ddefnyddio'r peiriant fideo;
3. Sut i osod cloc larwm i ganu;
4. Sut i lanhau eich dannedd.

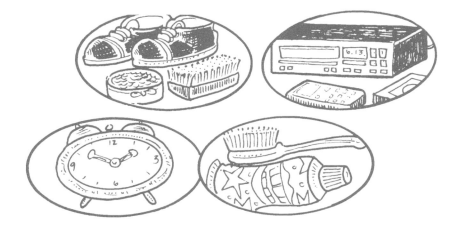

Cofiwch ysgrifennu'r cyfarwyddiadau mewn iaith syml ac eglur.

Gofynnwch i aelod arall o'r dosbarth roi cynnig ar ddilyn eich cyfarwyddiadau.

Oedd y cyfarwyddiadau'n gywir?
Oedden nhw yn y drefn iawn?
Oeddech chi wedi anghofio rhywbeth pwysig?

SUT MAE'N SIAPIO?
Cerddi Siâp

Mae ysgrifennu cerddi siâp yn andros o sbri!
Edrychwch ar y cerddi siâp hyn. Bydd rhaid i chi droi eich llyfr bob siâp i'w darllen!

Y SIANI FLEWOG

Bwytwr araf fel Jac codi baw yn bwyta'i bwyd bob nos
symuda fel sliwen bontiog
creadur bach   cyflym....

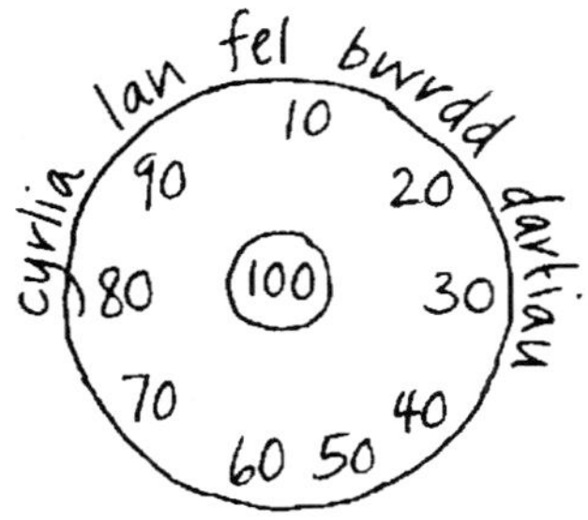

cyrlia lan fel bwrdd dartiau
10
90   20
80 (100) 30
70
60 50 40

Blew'!!fel'!!gwallt'!!pync'!!

Edrycha fel mwydyn bach
Blewog

CORNED

Rae hufen ia'i gael yn y llyfr. M'i Mam yn hoffi un pinc, a Siw un siocled
ond y rhan orau un gen i ydi'r corned ia! Mae hufen ia'n neis i'w
fwyta yn y bwyth (imi) Wyt ti yn hoffi nainti-nain? Fe gaf un melltiau gan fy nain (ond wid gan Mam!)

86

Beth sy'n arbennig ynglŷn â cherddi siâp?

Maen nhw'r un siâp a'r person neu'r anifail neu'r peth maen nhw'n ei ddisgrifio!

Gallwch eu lliwio gyda phinnau ffelt neu greonau.

Gallwch eu hysgrifennu'n fach **neu'n ANFERTHOL!**

Gallwch odli neu gallwch beidio. Does dim ots!

**Nid wyf yn hoffi odli,
Ond rwyf yn fardd er hynny!**

DEWIS TESTUN

Mae'n bwysig iawn dewis testun da i'ch cerdd siâp.

Gallech ddewis anifail.

87

Gallech ddewis person diddorol.

Gallech ddewis gwrthrych. Gair arall am 'peth' yw gwrthrych.

EWCH ATI!

Os yw eich athro'n fodlon, gallwch weithio mewn parau.
Gwnewch gynllun drafft o'ch cerdd mewn pensil i ddechrau.
Mae'n syniad da gwneud rhestr fras o eiriau i ddisgrifio'r person neu'r gwrthrych cyn ysgrifennu. Cadwch y rhestr wrth law.
Gallwch rwbio geiriau allan a symud llinellau o gwmpas.
Peidiwch â gwneud llun rhy gymhleth!

Gwnewch eich siâp terfynol ar bapur lliw neu wyn.
Cofiwch ei liwio'n ddeniadol!

Hei!
Ydych chi wedi cofio edrych dros y sillafu?

GWENYNEN
Golwg ar Gerdd

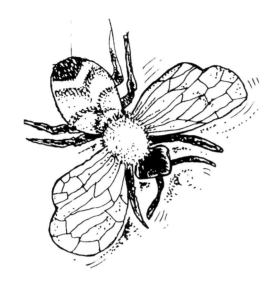

Gwelaf goeden eirin
yn llygaid i gyd
yn wylo gwlith y bore.

Clywaf furmur gwenynen
yn hapus yn y wledd,
yna'n gorwedd yn yr haul
yn feddw wedi'r gwin.

Rhedaf fy mys
hyd felfed ei gwisg,
ac o'r llyfnder meddal, hardd
daw nodwydd galed, boeth.

Na. Nid yw'n deall
mai ffrind ydw i.

John Hywyn

Gwrandewch ar y gerdd yn cael ei darllen.
Ydych chi'n ei hoffi hi?

Am ba amser o'r flwyddyn mae'r gerdd yn sôn?
Chwiliwch am y cliwiau yn y gerdd.

Beth sy'n digwydd pan ddaw 'nodwydd galed, boeth' o
wisg felfed 'feddal, hardd' y wenynen?

Darllenwch ddiwedd y gerdd unwaith eto.
Sut mae'r bardd yn teimlo?

Mae'r gair 'murmur' yn y gerdd yn disgrifio sŵn
gwenynen yn dda.
Chwiliwch am eiriau eraill sy'n gwneud sŵn tebyg i
wenynen.
Gwnewch restr ohonynt a'u dweud yn uchel.
Gallech ddechrau gyda 'Bssssss!'

Mae'r geiriau 'melfed' a 'meddal' a 'hardd' yn disgrifio
gwisg y wenynen. Gwnewch lun o wenynen, a'i liwio.
Yna chwiliwch am eiriau i ddisgrifio'r wenynen a'u
hysgrifennu o amgylch y llun.

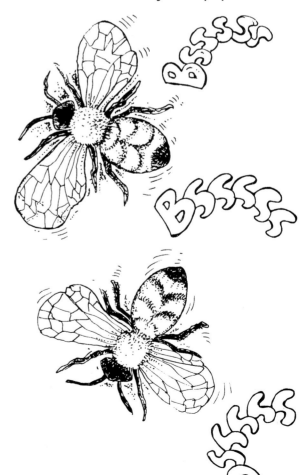

GEIRIAU GWNEUD
Berfau

Mae'r gair sy'n dweud beth sy'n digwydd mewn brawddeg yn bwysig iawn.
Berf yw'r enw ar y gair hwn.

Edrychwch ar y plant hyn.

Nid ydynt yn gwneud affliw o ddim!

Beth allai'r plant ei wneud gyda'u dwylo?

Beth allai'r plant ei wneud gyda'u coesau?

Beth allai'r plant ei wneud gyda'u cegau?

Beth allai'r plant ei wneud gyda'u llygaid?

Gwnewch restr o ferfau sy'n dangos beth all
plant ei wneud gyda gwahanol rannau o'u cyrff.

Gwnewch gylch seren i ddangos rhai pethau mae pobl yn eu gwneud:

ar y traeth   yn y lolfa   mewn canolfan hamdden

yn yr ysgol

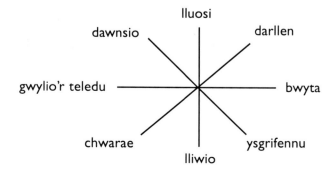

Mae pobl yn gwneud gwahanol bethau ar wahanol gyfnodau mewn bywyd. Trafodwch beth mae'r bobl a'r plant yma'n ei wneud:

Dyma lond bocs o wahanol eiriau. Tynnwch y berfau allan o'r bocs a'u rhestru:

cawl	llowcio	ysbryd	fideo	mynydd	gweld
dringo	trowsus	torri	sgrech	picnic	baglu
gweiddi	carw	coch	Gwen	ffonio	wincio

Nawr defnyddiwch y **berfau** i gychwyn stori gyffrous!
Rhowch groes drwy bob **berf** ar ôl i chi ei defnyddio.
Gallwch rhoi mwy nag un **ferf** mewn brawddeg.

Allwch chi wneud brawddeg debyg i hon?

Roedd yr anifeiliaid yn y sŵ yn rhuo ac yn brefu ac yn dringo ac yn crawcian ac yn rowlio ac yn cnoi ac yn cordeddu ac yn ymlusgo ac yn nofio ac yn crensian.

- Edrychwch ar y gerdd hon sy'n disgrifio mwncïod yn y sŵ!
Mae'n llawn dop o ferfau.

Mwncïod

Mwncïod -
yn hongian,
yn dringo,
yn siglo,
yn gwingo,
yn chwarae,
yn chwilio,
yn annwyl, fel ni!

Plant Blwyddyn 2,
Ysgol Gynradd Nefyn

- Edrychwch ar y gerdd hon am 'Y Traeth'.
Sawl **berf** allwch chi eu cyfrif ynddi?

Y Traeth

Nofio rhedeg
Chwarae sblashio
Neidio yfed
Trochi plymio
Cerdded sychu
A thorheulo.
Dyna beth yw enjoio.

Leigh Jones

ARWERTHIANT CARPEDI!
Llunio Pamffledyn

Peth fel hyn yw pamffledyn.

Heno, 24 Tachwedd, bydd sêl garpedi fwyaf y ganrif yn cael ei chynnal yn Neuadd yr Eglwys, Pwllheli. Bydd carpedi o bob math ar werth – carpedi llofft, carpedi parlwr, carpedi cegin a charpedi ar gyfer grisiau.

Dewch draw i gael golwg ar ein gwledd o garpedi. Mae'r prisiau'n hynod o resymol, ac mi ellwch roi cynnig ar fargeinio. Tameidiau dros ben ar werth yn ffiaidd o rad!

Pam trafferthu mynd i'r siopau mawr pan ellwch gael carpedi moethus o safon uchel ar stepen eich drws? Mae gennym garpedi o bob lliw a llun a hefyd fatiau a rygiau o India a'r Eidal.

Ein prif werthwr: Mr. Mat Crand

Mae'r Pennaeth wedi gofyn i blant eich dosbarth baratoi pamffledyn am yr ysgol.

Y CYNNWYS?

Pa ffeithiau am yr ysgol sy'n bwysig? (adeilad, nifer y plant, safle, awyrgylch, rhywbeth arall?)

Rhaid sôn am y cinio!
Pa chwaraeon sydd yna yn yr ysgol?
Sut rai yw'r athrawon?
Sut rai yw'r plant?
Beth yw trefn y dydd?

Rhannwch y gwaith rhwng y grwpiau yn y dosbarth.

**Gwnewch gopi drafft yn gyntaf!
Trafodwch hwnnw gyda'r grŵp a'r athro.
Dyma'ch cyfle i dwtio a newid a gwella!**

**Gwnewch gopi gorau.
Teipiwch ef ar y cyfrifiadur.**

YSGOL HAFOD Y RHIW

Pennaeth: Mrs Edna Efans

Bydd angen pennawd trawiadol i'r pamffledyn!
Cofiwch roi enw'r Pennaeth yn gywir!

LLUNIAU A FFOTOGRAFFAU

Beth am lun neu ffotograff o'r ysgol?

Neu beth am gynnwys llun o blant eich dosbarth?

Fyddai llun o wisg yr ysgol yn syniad da?

Ysgrifennwch damaid byr ar y diwedd yn dweud pam mae'ch ysgol yn arbennig.

MUNUD I'W SBARIO?
Beth am yrru copi o'ch pamffledyn i blant ysgol arall yng Nghymru?
Fe allent ddarparu pamffledyn tebyg ar eich cyfer chi wedyn!

SGWRSIO'N BRAF
Collnod 'n ac 'r

Sut mae pobol - a phlant - yn siarad?

Edrychwch ar y lluniau hyn.
Edrychwch ar sut y mae'r bobl a'r plant yn siarad.

Mae'n bwysig fod cymeriadau mewn storïau a stribedi cartŵn yn siarad fel pobol go-iawn.
Beth fyddai'r plentyn yn ei ddweud yn llun 1?

Rydw i yn mynd i fwydo yr hwyaid.
ynteu
Rydw i'n mynd i fwydo'r hwyaid.

 'yn' Mae'r 'y' yn mynd ar goll ar ôl y geiriau bach **i, ti, fo, fe, hi, ni, chi, nhw.**
Rydych chi'n cael **'n.**
Dilynwch y patrwm:

rydw i yn mynd ....   rydw **i'n** mynd ....
rwyt ti yn mynd ....
rydym ni yn mynd ....
rydych chi yn mynd ....

BETH AM Y RHAIN?

mae o yn ....   mae **o'n** .....
mae e yn ....   mae **e'n** .....
mae hi yn ....
maen nhw yn ....

Copïwch y stori hon. Bob tro y gwelwch **brint trwm**, mae angen i chi newid yr ysgrifen a defnyddio **'n.**

Y Gath Ryfeddol Iawn!

Un bore heulog o haf, eisteddai **Harri yn** syllu ar y teledu.
"**Mae yn** braf iawn y bore yma," meddai Lili'r gath toc. "Ac rwyt **ti yn** ddiog fel mastiff."
"Ac rwyt **ti yn** gallu siarad," rhyfeddodd Harri gan ddiffodd y teledu. "Ers pa bryd?"
"Rydw **i yn** cael gwersi ers misoedd," atebodd Lili, "gan Ffion. Mae **hi yn** athrawes wych."
"Rydyn **ni yn** mynd i gael hwyl nawr 'te," meddai Harri gan neidio ar ei draed. "Rydw **i yn** mynd i ddweud wrth Elis."
"Na, paid," crefodd Lili. "Ein cyfrinach ni yw hi. Bydd Elis yn dweud wrth bawb. Mae **o yn** geg fawr."
"Twt lol," meddai Harri. "Tyrd at Elis am sgwrs. Rwyt **ti yn** mynd i roi sioc ei fywyd iddo fo."
"Miaw," meddai Lili gan droi ei chefn arno, a dechrau llyfu ei blew. "Miaw, miaw."

CHWILIO CARTREF
Astudio Stori

Darllenwch y stori.

Ydych chi'n ei hoffi hi?

Enw cartref y gwningen yw 'gwâl'. Enw cartref y llwynog yw 'ffau'. Wyddoch chi beth yw enwau cartrefi anifeiliaid eraill?

Teitl y stori yw 'Chwilio Cartref'. Allwch chi feddwl am deitl arall a fyddai'n gweddu iddi?

Darllenwch y darn am yr ysgyfarnog yn cyfarfod â'r llwynog eto.
Beth ydych chi'n feddwl wnâi llwynog pe bai'n taro ar ysgyfarnog?

Mae nifer o greaduriaid yn y stori: ysgyfarnog, cwningen, tylluan, llwynog a chi. Nid yw'r awdur wedi rhoi enwau iddynt yn y stori. Meddyliwch am enwau addas iddynt.

CHWILIO CARTREF

Amser maith yn ôl cyfarfu'r ysgyfarnog a'r gwningen ar hen ros unig.

"Bore da," meddai'r gwningen yn gwrtais.

"Bore da," atebodd yr ysgyfarnog braidd yn swta, "rwy ar frys . ."

"Wyddost ti," meddai'r gwningen, "rwyt ti a mi yn perthyn i'n gilydd, ac fe ddylen ni weld ein gilydd yn fwy aml o lawer. Fe ddylet ti ddod i'n tŷ ni i roi tro amdana i, ac fe ddylet ti fy ngwahodd innau i'th gartre di ambell dro. Dyna fel y bydd perthnasau yn arfer gwneud."

"Ond, does gen i ddim cartre," meddai'r ysgyfarnog.

"Dim cartre!" Edrychodd y gwningen yn syn. "Gwarchod pawb!"

"Wel," meddai'r ysgyfarnog, "mae gen i wâl yng nghanol yr eithin, wrth gwrs, ond does dim lle i neb ond fi yn honno."

"Wel, wel!" meddai'r gwningen. "Rwy'n dechrau amau a wyt ti'n perthyn i'n teulu ni wedi'r cyfan. Mae gan bob un ohonom ni gartre. Mae gan sipsiwn hyd yn oed gartrefi. Wn i ddim am neb heb gartre, ond ambell hen drempyn efallai."

Dechreuodd yr ysgyfarnog deimlo'n anesmwyth. Doedd hi ddim yn fodlon i neb ddweud ei bod hi'n debyg i drempyn. Ond doedd hi ddim am ddangos dim i'r gwningen.

"Does dim eisiau cartre arna i. Rwy'n gallu cysgu'n iawn yn y rhedyn a'r gwellt . . ."

"Dyna'n union fel bydd pob hen drempyn yn cysgu," atebodd y gwningen yn wawdlyd. "Pam nad ei di ati i wneud cartre iawn i ti dy hunan?"

Ar ôl i'r gwningen fynd a'i gadael, bu'r ysgyfarnog yn meddwl o ddifri am yr hyn a ddywedodd. Nid oedd wedi teimlo erioed o'r blaen fod angen cartre arni.

Ond wedi meddwl, fe fyddai'n braf cael cartre i chi eich hun. Fe allech wahodd eich cyfeillion a'ch perthnasau i roi tro amdanoch wedyn.

Yn sydyn, dechreuodd yr ysgyfarnog deimlo'n unig. Edrychodd o'i chwmpas, a'r cyfan a welodd oedd hen ros ddistaw heb enaid byw yn y golwg yn unman.

"Rwy'n mynd i gael cartre fel pawb arall," meddai'r ysgyfarnog yn benderfynol.

Ar ôl penderfynu cael cartre, y peth nesaf i'w wneud oedd dewis pa fath fyddai orau iddi hi.

Yn gyntaf, aeth hi at ei pherthnasau, y cwningod, i weld sut gartrefi oedd ganddyn nhw.

Cafodd groeso mawr gan y rheini. Arweiniwyd hi drwy dwnnel cul i mewn i ystafell dywyll o dan y ddaear. Wrth fynd drwy'r twnnel syrthiai pridd a cherrig mân ar ei chefn, a theimlai'n annifyr iawn. Ni allai weld fawr o ddim, ac ar ôl bod yno am rai munudau hiraethai am gael mynd yn ôl i'r rhos, lle'r oedd awel a haul a golau dydd.

Pan ddaeth hi allan o gartre'r cwningod roedd hi wedi penderfynu na fyddai fyth yn byw mewn twll tywyll dan y ddaear.

Dywedodd rhywun wrthi fod y dylluan yn aderyn doeth, ac un prynhawn aeth i lawr i'r coed i'w gweld.

"Os gweli di'n dda," meddai wrth y dylluan, "does gen i ddim cartre. Elli di ddweud wrthyf fi sut gartre fyddai orau imi?"

"Pam na ddewisi di gartref fel sydd gen i?" meddai'r dylluan.

"Oes gen ti gartre da?" gofynnodd yr ysgyfarnog.

"Gwell i ti ddod i fyny yma i ti gael ei weld."

Neidiodd yr ysgyfarnog i ben y goeden a gwelodd dwll mawr yn y boncyff.

"Gwell i ti fynd i mewn," meddai'r dylluan.

Aeth yr ysgyfarnog i mewn i'r twll. Fe'i teimlodd ei hunan yn cwympo am dipyn. Yna, disgynnodd ar lawr wedi ei orchuddio â dail. Wrth edrych i fyny gallai weld yr awyr trwy'r brigau. Ond deuai aroglau rhyfedd i'w ffroenau yn awr, a dechreuodd deimlo braidd yn sâl. Yn waeth na hynny, teimlodd ryw bryfed mân yn cerdded dros ei chorff.

Neidiodd allan i ben y gangen, ac oddi yno i'r llawr. Na, ni wnâi cartre tylluan y tro iddi hi.

Aeth wythnos heibio. Yna cyfarfu â'r llwynog ar ochr y mynydd. Dywedodd wrth hwnnw ei bod yn awyddus i gael cartre iddi hi ei hunan, ond ei bod yn methu'n lân â phenderfynu pa fath fyddai orau.

"A!" meddai'r llwynog ar unwaith. "Rhaid i ti gael ffau fel sydd gen i. Coelia di fi, dyna'r cartre gorau'n y byd."

"Diolch yn fawr," meddai'r ysgyfarnog. Teimlai'n llawer mwy hapus yn awr.

"Wyddost ti," meddai'r llwynog wedyn, "fe wn i am ffau sy'n wag ar hyn o bryd. Ffau cefnder i mi oedd hi, ond fe gafodd ei ddal gan y cŵn hela ryw fis yn ôl. Tyrd gyda mi."

Aeth y llwynog a'r ysgyfarnog gydag e, a dangosodd iddi dwll go fawr yn y graig ar waelod yr allt.

"Dyma ti," meddai, "dyma gartre newydd gwerth yr enw. Fe elli di fyw yma'n hapus hyd ddiwedd dy oes."

"Diolch," meddai'r ysgyfarnog, ond roedd y llwynog wedi mynd.

Aeth yr ysgyfarnog i mewn i'r ffau. Roedd y lle yma'n well na chartre'r cwningod, beth bynnag. Yn un peth, roedd mwy o le i symud. Roedd yn well na chartre'r dylluan hefyd gan nad oedd aroglau cas yn y ffau, na phryfed mân yn cerdded dros ei chorff i gyd.

"Ie, dyma fi o'r diwedd wedi cael cartre," meddai'r ysgyfarnog wrthi ei hunan. Dechreuodd roi tipyn o drefn ar bethau.

Y noson honno cysgodd yn ei chartre newydd. Chysgodd hi ddim yn dda iawn chwaith. Ar ei gwâl ar y rhos byddai sŵn y gwynt yn y grug yn ei suo i gysgu, ond fan yma nid oedd unrhyw sŵn o gwbl.

Pan ddihunodd fore trannoeth, penderfynodd fynd yn ôl i'r rhos am dro bach. Ond druan ohoni, pan edrychodd i gyfeiriad genau'r ffau, gwelodd gi mawr yn sefyll yno, a'i glustiau i fyny.

Oedd y ci yn gwybod ei bod hi yno? Fyddai yn mynd ymaith cyn bo hir?

Ond aros yn ei unfan â'i glustiau i fyny a wnâi'r ci.

Yn sydyn, gwyddai'r ysgyfarnog mai cartre peryglus i fyw ynddo oedd y ffau. Nid oedd ganddi le i ddianc.

"Pe bai hyn yn digwydd pan oeddwn i'n byw ar y rhos," meddai, "fe fyddwn wedi gadael y ci ymhell ar ôl erbyn hyn."

Aeth amser heibio, ond ni symudodd y ci o enau'r ffau. Yna penderfynodd yr ysgyfarnog ei bod yn mynd i geisio dianc. Byddai'n rhaid iddi fynd heibio'r ci, wrth gwrs, ond os cymerai naid sydyn, efallai y gallai osgoi ei ddannedd miniog.

"Os galla i wneud hynny," meddai, "ddo i byth yn ôl i'r lle peryglus yma."

Yna rhoddodd un sbonc fawr tua genau'r ffau, a heibio'r ci. Erbyn i hwnnw gael amser i droi ei ben, roedd hi'n rhedeg i fyny'r llethr tua'r rhos.

Ac ar y rhos y bu hi'n byw wedyn, yn ddigartre, ond yn rhydd ac yn hapus serch hynny.

Edrychwch eto ar ddechrau'r stori. Mae dau yn cyfarfod, sef yr ysgyfarnog a'r gwningen, dau eithaf gwahanol o ran cymeriad a sgwrs.

Mae'r gwningen yn un hunanbwysig sy'n credu fod cael eich cartref eich hun yn bwysig, ac yn rhoi statws a pharchusrwydd i greadur; un ffwrdd-â-hi a hapus braf yw'r ysgyfarnog, nes i'r gwningen blannu hedyn amheuaeth yn ei meddwl, sef y dylai fod ganddi gartref. Yr hedyn hwn yw gwraidd y stori.

Rhowch gynnig ar ysgrifennu **dechrau stori** ar yr un patrwm. Mae **dau gymeriad cwbl wahanol i'w gilydd** yn cyfarfod (gallant fod yn blant, yn anifeiliaid neu'n greaduriaid o blaned arall) ac mae **un yn cyflwyno syniad neu gynllun i'r llall**.

Gwnewch gynllun o'ch cartref eich hun gyda phensil a phren mesur. Nodwch enw pob ystafell a dangoswch pwy sy'n cysgu ym mhle.

AGORWCH Y BOCS!
Syniadau am Stori

Ambell dro, mae'n anodd iawn cael syniad am stori.
Dyma i chi dri bocs.

BOCS 1

cacen gwstard
Meuryn Euryn Evans
bws coch
corrach
cawod o law
blwch arian

BOCS 2

ergyd o ddryll
galwad ffôn
ôl troed
Paris
croissant
Danielle

BOCS 3

Smwtyn
dagrau
tennyn
Chum
niwl
sgrech

Ym mhob bocs mae yna nifer o enwau.

Mae yna enwau pethau cyffredin, enwau cymeriadau ac enwau lleoedd.

Edrychwch yn ofalus ar bob un o'r enwau sydd yn y bocsys.

Gweithiwch ar eich pen eich hun. (Os yw'r athro'n fodlon, cewch weithio gyda phartner neu mewn grŵp bychan.)

Nawr ysgrifennwch stori yn cynnwys pob un o'r enwau sydd yn y bocs a ddewiswch.
Cewch newid eu trefn os ydych yn dymuno.

CYNGOR CALL I AWDURON IFAINC!
Byddai'n syniad da gwneud cynllun i'ch stori cyn dechrau.
Gallwch weld wedyn sut y bydd popeth yn ffitio i'r stori.

BOCS STORI

EWCH ATI!

Ewch ati'n awr i wneud bocs stori ar gyfer aelod arall o'r dosbarth.

Ceisiwch roi enwau a fydd yn apelio at fechgyn a merched yn y bocs.

Gallwch roi enwau cyffredin neu enwau priod neu enwau lleoedd yn y bocs.

Rhowch y bocsys stori i gyd mewn bocs mawr yn nghornel y dosbarth. Hwn fydd Y BOCS SYNIADAU AM STORÏAU.

MUNUD I'W SBARIO?

Trafodwch pa eiriau y byddech yn eu rhoi mewn bocs i awgrymu:

1. stori antur;

2. stori ysbryd;

3. stori hanesyddol.

POBL YN SIARAD
Deialog

Mewn comigs, mae pobol yn siarad mewn swigod:

1 Gwnewch lun yn y ffrâm i ddangos beth sy'n digwydd nesaf.
Hwn fydd Llun 4.
Rhowch sgwrs Dad a Siân mewn swigod.

Pan fyddwn yn ysgrifennu stori, byddwn yn rhoi **dyfynodau**, neu
farciau siarad, am y geiriau a ddywed pobl.

2 Edrychwch ar ffrâm gyntaf y stori eto.
      "Dere, Siân, fe awn i am dro," meddai Dad.
      "Grêt," meddai Siân. "Mae hi mor braf."

Ysgrifennwch lun 2 a llun 3 a 4 fel hyn. Defnyddiwch 'meddai'.

3 Dyma stori. Rhowch y **dyfynodau** i mewn.

Dyma hen ddiwrnod diflas meddai Dafydd.

'Does gen ti ddim byd i'w wneud? gofynnodd Mam.

Nac oes. Dim byd o gwbl meddai Dafydd.

Wyt ti wedi gorffen dy waith cartref? gofynnodd Mam.

Naddo meddai Dafydd.

Wyt ti wedi bwydo'r gwningen? gofynnodd Mam.

Naddo meddai Dafydd.

Wyt ti wedi ymarfer dy waith piano? gofynnodd Mam.

Naddo meddai Dafydd.

Wel, mae gen ti ddigon i'w wneud felly meddai Mam.

O, rwy newydd gofio meddai Dafydd. Rwy'n mynd i chwarae pêl-droed gyda Rhodri!

4 Ysgrifennwch stori am 'Y Tric'.

Rhowch sgwrs yn eich stori.

Defnyddiwch **ddyfynodau** bob tro y bydd rhywun yn siarad.

Defnyddiwch linell newydd bob tro y bydd rhywun yn siarad.

CATHOD A CHWÎN
Taflen Wybodaeth a Cherdd

Sut y byddech chi'n disgrifio cath?

Gwybodaeth Hollbwysig am fy Nghath

Enw: Pwsi Meri Mew

Dyddiad Geni: Mehefin yr 2il

Enw'r fam: Cath-rin

Math: Cath frech ddomestig, blewyn cwta

Hoff fwyd: Whiskas, lleden ffres

Hoff degan: llygoden degan

Hoff le cysgu: y fasged ddillad

Hoff weithgaredd hamdden: llygota, ymolchi

Prif elyn: Gel (ci drws nesaf)

Enw'r Milfeddg: Elwyn Evans Jones

Rhif ffôn y filfeddygfa: Poncbellaf 234567

Mae gen i gath ddu 'fu erioed ei bath hi,
Hi gurith y clacwydd, hi dynnith ei blu;
Mae ganddi 'winedd a barf, a'r rheiny mor hardd,
Hi helith y llygod yn lluoedd o'r ardd;
Daw eilwaith i'r tŷ, hi gurith y ci –
Mi rown ichi gyngor i gadw cath ddu.

Ar y daflen wybodaeth ceir llawer o wybodaeth am anifail anwes. Mae'r wybodaeth wedi'i gosod allan yn daclus ac yn gryno.

Yn y pennill cawn ddisgrifiad bywiog a manwl o gath ddu.

Ydych chi'n meddwl fod y bardd yn dweud y gwir pob gair?
Ydych chi'n hoffi'r odl yn y pennill?

RHOWCH GYNNIG ARNI!

Paratowch daflen wybodaeth ar gyfer eich anifail anwes, neu anifail anwes rydych chi'n ei adnabod.

Gallwch addasu'r daflen os bydd angen.

Gallwch ychwanegu cwestiynau neu hepgor rhai.

Gwnewch nodiadau a chopi drafft cyn gwneud copi gorau o'r daflen wybodaeth.

Gwnewch lun o'r anifail anwes neu lynu ffotograff ar ben y daflen.

EWCH ATI!

Rhannwch yn grwpiau.

Lluniwch gerdd gyda'ch gilydd am: **Y Ci.**

Cewch ddewis unrhyw fath o gi: ci defaid, ci syrcas, mwngrel, ci gwarchod, ci person dall, ci sosej, corgi neu unrhyw fath arall o gi!

HELP! SUT MAE DECHRAU?

Disgrifiwch y ci mewn brawddegau byr.
Does dim rhaid dechrau llinell gyda 'Mae'r ci ...'

Meddyliwch am ei liw, ei siâp, ei flew, ei lygaid, ei goesau, ei bawennau, ei glustiau, ei geg a'i gynffon.

Ydy'r ci'n eich atgoffa o rywbeth? Brwsh weirs? Ci poeth? Blaidd? Sut sŵn sydd ganddo? Cyfarth? Iapian? Udo? Coethi? Chwyrnu?

Oes gan y ci enw, tybed?

HELP! SUT MAE GORFFEN?

Ar ôl i chi orffen disgrifio, gallwch gloi'r gerdd drwy ddweud sut rydych chi'n teimlo ynglŷn â'r ci.

Ydych chi'n ei garu neu'n ei gasáu?

Ydy e'n ffrind neu'n elyn i chi neu i rywun arall?

Fe allech gloi'r gerdd drwy ddisgrifio beth mae'r ci'n ei wneud (cysgu, hela, gwarchod, gwylio'r teledu, hel mwythau)?

PWYSIG?
CYNGOR CALL I FEIRDD O FRI...

Cofiwch wneud drafft mewn pensil yn gyntaf!

Wedyn gallwch symud llinellau o gwmpas. Gallwch dynnu llinell wael allan a rhoi un newydd yn ei lle.

Gallwch ofyn i'ch athrawes am ei barn.

Ar ôl i chi orffen eich cerdd, copïwch hi'n daclus ar ddarn o gardfwrdd lliwgar a'i haddurno â lluniau neu beintiadau o gŵn.

FEL A'R FEL
Cyffelybu

Y Gath Ddu

Mae Modlen y gath, rhyngoch chi a fi, yn ddu
Fel glo i'r tân a phlu y frân, mae'n ddu
Fel het y wrach a slumod bach, mae'n ddu
Fel bol mŵmŵ a nyth gwdihŵ – mae'n ddu.

Mae hi'n ddu fel tar, yn ddu fel inc
Ond pam mae thafod bach yn binc?

Tony Llywelyn

- Ydych chi'n hoffi'r gerdd hon?

  Mae'r bardd yn cymharu Modlen, y gath, i lawer o
  wahanol bethau.

  Mae'r bardd yn dweud ei bod hi **'fel'** gwahanol
  bethau duon.

  Y gair am hyn yw **'cyffelybu'**.

  Pa un o'r 'fel....' yw'r gorau gennych chi? Pam?

  Ysgrifennwch un llinell i'w hychwanegu at y gerdd.

  Dilynwch y patrwm 'Fel ...., mae'n ddu.'

- Rydym yn aml yn defnyddio **fel** yn ein sgwrs.
  Tybed a allech chi lenwi'r bylchau yn y brawddegau hyn?
  Gweithiwch gyda ffrind.

  Roedd croen Morus **yn goch fel** .... ar ôl iddo fod yn bolaheulo.

  Gwisgai'r briodasferch **ffrog wen fel** ....

  Pe bai Mam yn ennill y Loteri, byddai'n **hapus fel** ....

  Roedd Mari'n **crïo fel** .... pan syrthiodd a brifo'i phen-lin.

  Gwelais y bachgen yn **rhedeg fel** .... ar ôl y fan hufen iâ.

  Enillodd Siôn fedal aur, ac mae'n **nofio fel** ....

Gweithiwch yn un dosbarth gyda'ch athro i orffen y rhain.
Gallwch eu rhoi mewn brawddegau llawn wedyn, os mynnwch.

yn hen fel ....   yn mynd fel ....

yn canu fel ....   yn drewi fel ....

yn chwerthin fel ....   yn oer fel ....

yn siarad fel ....   yn rhuo fel ....

Allwch chi ychwanegu at y rhestr?

EWCH ATI!

Mae'n sbort gwneud cyffelybiaethau fel hyn o'ch pen a'ch pastwn.
Gorffennwch y brawddegau hyn.
Meddyliwch am sŵn a siâp a symud cyn ysgrifennu **fel** ......

Roedd taranau'r storm uwchben **yn drybowndio fel** ....

Mae blew Gwenni'r gath fach **yn esmwyth fel** ....

Edrychai croen yr eliffant yn y sŵ **yn rhychlyd fel** ....

Roedd y candi fflos brynais i yn y ffair **yn binc fel** ....

Disgleiriai'r tinsel ar y goeden Nadolig **yn ddisglair fel** ....

Weithiau, bydd y cwstard yn ein hysgol **yn lympiog fel** ....

MUNUD I'W SBARIO?

Beth am ysgrifennu cerdd ddosbarth gan ddefnyddio **fel** ....?

Enw'r gerdd fydd 'Teimlo'n Hapus'.

Defnyddiwch y llinell gyntaf:

Y diwrnod hwnnw roeddwn i'n teimlo'n hapus....

Yna bydd pawb ohonoch yn cyfrannu un llinell, er enghraifft:

fel cath ar ôl cael llefrith

fel crwt gyda lolipop coch

fel ....

Ar ôl i chi orffen eich cerdd, teipiwch hi ar y cyfrifiadur a rhowch hi ar fur y dosbarth.
Rhowch luniau bach lliwgar ar ddechrau a diwedd pob llinell.

BETH YW EICH BARN?

Mynegi Barn ar Bwnc Penodol

Ffermwr ydy Dad. Mae o'n magu gwartheg tewion a defaid. Mae'n bywoliaeth ni fel teulu yn dibynnu ar y fasnach gig.

Huw Williams (8 oed)

Rydw i'n figan. Dydw i ddim yn bwyta cig nac unrhyw gynnyrch anifail – llefrith, iogwrt, hufen, caws nac wyau. Ond rydw i'n bwyta llawer o reis, llysiau, ffrwythau, bara a phasta.

Zoe Harris (14 oed)

Rwy'n llysfwytawr. Fe ddywedodd y dramodydd George Bernard Shaw: 'Mae anifeiliaid yn ffrindie i mi, a dwy i ddim yn bwyta fy ffrindie.' Fel'na rwy'n teimlo hefyd. Bydde'n well 'da fi lwgu!

Alun Gwyn (9 oed)

Dwi'n hoffi cig, yn enwedig selsig a salami a ham a chŵn poeth!
Maen nhw'n flasus ac yn faethlon!

Gwenllian Hughes (7 oed)

Darllenwch yr hyn mae'r plant yn ei ddweud am fwyta neu beidio bwyta cig.

Beth yw'ch barn chi ar y pwnc?

Dyma rai datganiadau eraill i'w trafod a meddwl amdanynt
cyn penderfynu ar eich barn:

- Pe bai nifer fawr o bobl yn peidio â bwyta cig, byddai'r gymdeithas amaethyddol yng Nghymru'n dioddef yn enbyd.

- Gallai'r grawn sy'n cael ei ddefnyddio i borthi anifeiliaid tewion fwydo tlodion yn y Trydydd Byd.

- Mae cig yn cynnwys llawer o brotin a rhywfaint o fraster; mae'n rhan bwysig o ddeiet cyflawn.

- Mae 1.3 miliwn o blant ym Mhrydain sy'n llysfwytawyr.

EWCH ATI!

Ysgrifennwch beth yw eich barn chi am fwyta neu wrthod bwyta cig.
Rhowch resymau da dros eich safbwynt.
Ysgrifennwch yn ofalus ac yn eglur.
Gallech ddechrau gyda'r geiriau: **Yn fy marn i ....**
Rydw i'n credu ....

MUNUD I'W SBARIO?

Ewch o gwmpas yr ysgol, neu'r gymdogaeth, gan holi pobl a phlant beth yw eu barn ynglŷn â bwyta cig.

Gallwch ddefnyddio un ai **holiadur** neu **recordydd tâp a meicroffôn**.
Cofnodwch yr atebion ar ffurf graff: cigfwytawyr / llysfwytawyr / figaniaid.
Bydd digonedd o ddeunydd am gig a bwydlysyddiaeth yn y llyfrgell.
Ewch yno i wneud ychydig o waith ymchwil. Gallwch ddefnyddio unrhyw ffeithiau diddorol mewn siart mur: Bwyta cig – Y Manteision a'r Anfanteision.

PWYSIG! PRIFLYTHRENNAU
Rhagor am Briflythrennau

Rhaid cael **priflythyren** ar gyfer **teitlau llyfrau** a **storïau**.

> Fy hoff stori i yw 'Y Freichled Aur' o'r llyfr *Lleuad yn Olau*.

Rhaid cael **priflythyren** ar gyfer **enwau rhaglenni radio a theledu**

> Mae pawb yn ei tŷ ni'n mwynhau gwrando ar *Post Prynhawn* a gwylio *Pobol Y Cwm*.

Rhaid cael **priflythyren** ar gyfer **enwau ceir** ac **enwau nwyddau neilltuol** (enw brand).

> Mae Mali'n eistedd yn *Ford Escort* newydd Tada, yn bwyta *Kit Kat!*

> Cofiwch ddefnyddio **priflythyren** ac **atalnod llawn** lle bo angen!

Ysgrifennwch baragraff yn disgrifio eich ffrind gorau. Cofiwch gynnwys digon o fanylion a gwybodaeth ddiddorol.

Holiadur

Gwnewch lungopi o'r holiadur ar y tudalen nesaf.
Yna atebwch y cwestiynau mewn brawddegau llawn.

Cofiwch roi **priflythyren** ac **atalnod llawn**!

Holiadur

1. Beth yw eich enw?   Faint yw eich oed?

2. Pa un yw eich hoff nofel?

3. Pa un yw eich hoff lyfr gwybodaeth ffeithiol?

4. Pa un yw eich hoff stori neu chwedl draddodiadol?

5. Pa un yw eich hoff opera sebon neu raglen gomedi ar y teledu?

6. Pa un yw eich hoff raglen blant ar y teledu?

7. Pa raglenni ffeithiol (am natur, hanes, gwyddoniaeth) rydych wedi mwynhau eu gwylio ar y teledu?

8. Pa gar sydd gan eich athro/athrawes?

9. Pa gar hoffech chi ei gael pe baech chi'n ennill ffortiwn?

10. Beth yw eich hoff losin neu fferins?

11. Pa ffa pob yw'r rhai mwyaf blasus?

12. Pa Cola yw'r gorau gennych chi?

Dyma stori. Rhowch **briflythrennau** yn y mannau cywir:

eisteddai tad-cu o flaen y tân. edrychai ymlaen at wylio ei hoff raglen, sef yr hen oesoedd. ond pan oedd yr hen oesoedd ar fin dechrau rhuthrodd mathew i mewn i'r lolfa a newid y sianel.
"mae pnawn pêl-droed ar fin dechrau," eglurodd wrth tad-cu. "mae'n rhaglen wych!"
y funud honno rhedodd siwan rhiannon i mewn i'r lolfa. dechreuodd ffidlan gyda'r teclyn newid sianel.
"paid," gwaeddodd tad-cu. "mae yr hen oesoedd ar fin dechrau!"
"paid," bloeddiodd mathew. "mae pnawn pêl-droed ar fin dechrau!"
"'sdim ots gen i," meddai siwan rhiannon. "mae *tom and jerry* ar fin dechrau hefyd. mae pawb yn hoffi *tom and jerry*."

Roedd **40 priflythyren**. Gawsoch chi'r cyfan ohonynt?
Ewch yn ôl i chwilio os ydych yn brin.